新 潮 文 庫

一握の砂・悲しき玩具

—石川啄木歌集—

金田一京助編

新 潮 社 版

334

目次

一握の砂・悲しき玩具

一握の砂

（序）

世の中には途法《とはふ》も無い仁《じん》もあるものぢや、歌集の序を書けとある、人もあらうに此《こ》の俺《おれ》に新派の歌集の序を書けとぢや。ああでも無い、かうでも無い、とひねつた末が此んなことに立至るのぢやらう。此の途法も無い処《ところ》が即《すなは》ち新の新たる極意かも知れん。定めしひねくれた歌を詠《よ》んであるぢやらうと思ひながら手当り次第に繰り展《ひろ》げた処が、

高きより飛び下りるごとき心もて
この一生を
終るすべなきか

此《これ》ア面白《おもしろ》い、ふン此の刹那《せつな》の心を常住に持することが出来たら、至極ぢや。面白い処に気が着いたものぢや、面白く言ひまはしたものぢや。

非凡なる人のごとくにふるまへる
後《のち》のさびしさは
何《なに》にかたぐへむ

いや斯《か》ういふ事は俺等《ら》の半生にしこたま有つた。此のさびしさを一生覚えずに過す人が、所謂《いはゆる》当節の成功家ぢや。

何処《どこ》やらに沢山の人が争ひて
鬮《くじ》引くごとし
われも引きたし

何にしろ大混雑のおしあひへしあひで、鬮引の場に入るだけでも一難儀ぢやのに、やつとの思ひに引いたところで大概は空鬮《からくじ》ぢや。

何《なに》がなしにさびしくなれば

出てあるく男となりて
三月《みつき》にもなれり

とある日に
酒をのみたくてならぬごとく
今日われ切《せち》に金を欲《ほ》りせり

怒《いか》る時
かならずひとつ鉢《はち》を割り
九百九十《くひやくくじふく》九割りて死なまし

腕拱《く》みて
このごろ思ふ
大いなる敵目の前に躍り出《い》でよと

目の前の菓子《くわし》皿《ざら》などを

かりかりと嚙《か》みてみたくなりぬ
もどかしきかな

鏡とり
能《あた》ふかぎりのさまざまの顔をしてみぬ
泣き飽きし時

こころよく
我にはたらく仕事あれ
それを仕遂げて死なむと思ふ

よごれたる足袋《たび》穿《は》く時の
気味わるき思ひに似たる
思出《おもひで》もあり

さうぢや、そんなことがある、斯《か》ういふ様な想《おも》ひは、俺にもある。二三十年もかけはなれた此の著者と此の読者との間にすら共通の感ぢやから、定めし総《すべ》ての人にもあるのぢやらう。然《しか》る処俺等聞及んだ昔から今までの歌に、斯《こ》んな事をすなほに、ずばりと、大胆に率直に詠んだ歌といふものは一向に之《こ》れ無い。一寸《ちよつと》開けて見てこれぢや、もつと面白い歌が此の集中に満ちて居るに違ひない。そもそも、歌は人の心を種として言葉の手品を使ふものとのみ合点《がてん》して居た拙者は、斯ういふ種も仕掛も無い誰《だれ》にも承知の出来る歌も亦《また》当節新発明に為《な》つて居たかと、くれぐれも感心仕《つかまつ》る。新派といふものを途法もないものと感ちがひ致居《いたしを》りたる段、全く拙者のひねくれより起りたることと懺悔《ざんげ》に及び候也《さうらふなり》。

犬の年の大水後

藪《やぶ》野《の》椋《むく》十《じふ》

函館《はこだて》なる郁雨《いくう》宮崎大四郎君
同国の友文学士花明金田一京助君
この集を両君に捧《ささ》ぐ。予はすでに予のすべてを両君の前に示しつくしたるものの如《ごと》し。従つて両君はここに歌はれたる歌の一一につきて最も多く知るの人なるを信ずればなり。
また一本をとりて亡児真一に手向《たむ》く。この集の稿本を書肆《しよし》の手に渡したるは汝《なんぢ》の生れたる朝なりき。この集の稿料は汝の薬餌《やくじ》となりたり。而してこの集の見本刷を予の閲《けみ》したるは汝の火葬の夜なりき。

著　者

明治四十一年夏以後の作一千余首中より五百五十一首を抜きてこの集に収む。集中五章、感興の来由するところ相邇《あひちか》きをたづねて仮にわかてるのみ。「秋風のこころよさに」は明治四十一年秋の紀念なり。

目次

我を愛する歌

東海の小島《こじま》の磯《いそ》の白砂《しらすな》に
われ泣きぬれて
蟹《かに》とたはむる

頬《ほ》につたふ
なみだのごはず
一握《いちあく》の砂を示しし人を忘れず

大海《だいかい》にむかひて一人
七八日《ななやうか》
泣きなむとすと家を出《い》でにき

いたく錆《さ》びしピストル出《い》でぬ
砂山の
砂を指もて掘りてありしに

ひと夜《よ》さに嵐来《あらしき》りて築きたる
この砂山は
何《なに》の墓ぞも

砂山の砂に腹這《はらば》ひ
初恋の
いたみを遠くおもひ出《い》づる日

砂山の裾《すそ》によこたはる流木《りうぼく》に
あたり見まはし
物言ひてみる

いのちなき砂のかなしさよ
さらさらと
握れば指のあひだより落つ

しつとりと
なみだを吸へる砂の玉
なみだは重きものにしあるかな

大《だい》といふ字を百あまり
砂に書き
死ぬことをやめて帰り来《きた》れり

目さまして猶《なほ》起き出《い》でぬ児《こ》の癖は
かなしき癖ぞ
母よ咎《とが》むな

ひと塊《くれ》の土に涎《よだれ》し
泣く母の肖顔《にがほ》つくりぬ
かなしくもあるか

燈影《ほかげ》なき室《しつ》に我あり
父と母
壁のなかより杖《つゑ》つきて出《い》づ

たはむれに母を背負ひて
そのあまり軽《かろ》きに泣きて
三歩《さんぼ》あゆまず

飄然《へうぜん》と家を出《い》でては
飄然と帰りし癖よ
友はわらへど

ふるさとの父の咳《せき》する度に斯《か》く
咳の出《い》づるや
病めばはかなし

わが泣くを少女等《をとめら》きかば
病犬《やまいぬ》の
月に吠《ほ》ゆるに似たりといふらむ

何処《いづく》やらむかすかに虫のなくごとき
こころ細さを
今日もおぼゆる

いと暗き
穴に心を吸はれゆくごとく思ひて
つかれて眠る

こころよく
我にはたらく仕事あれ
それを仕遂げて死なむと思ふ

こみ合へる電車の隅《すみ》に
ちぢこまる
ゆふべゆふべの我のいとしさ

浅草の夜《よ》のにぎはひに
まぎれ入り
まぎれ出《い》で来《き》しさびしき心

愛犬の耳斬《き》りてみぬ
あはれこれも
物に倦《う》みたる心にかあらむ

鏡とり
能《あた》ふかぎりのさまざまの顔をしてみぬ
泣き飽きし時

なみだなみだ
不思議なるかな
それをもて洗へば心戯《おど》けたくなれり

呆《あき》れたる母の言葉に
気がつけば
茶碗《ちやわん》を箸《はし》もて敲《たた》きてありき

草に臥《ね》て
おもふことなし
わが額《ぬか》に糞《ふん》して鳥は空に遊べり

わが髭《ひげ》の
下向く癖がいきどほろし
このごろ憎き男に似たれば

森の奥より銃声聞ゆ
あはれあはれ
自《みづか》ら死ぬる音のよろしさ

大木《たいぼく》の幹に耳あて
小半日《こはんにち》
堅き皮をばむしりてありき

「さばかりの事に死ぬるや」
「さばかりの事に生くるや」
止《よ》せ止《よ》せ問答

まれにある
この平《たひら》なる心には
時計の鳴るもおもしろく聴く

ふと深き怖《おそ》れを覚え
ぢつとして
やがて静かに臍《ほそ》をまさぐる

高山《たかやま》のいただきに登り
なにがなしに帽子をふりて
下《くだ》り来《き》しかな

何処《どこ》やらに沢山の人があらそひて
鬮《くじ》引くごとし
われも引きたし

怒《いか》る時
かならずひとつ鉢《はち》を割り
九百九十九《くひやくくじふく》割りて死なまし

いつも逢《あ》ふ電車の中の小男《こをとこ》の
稜《かど》ある眼《まなこ》
このごろ気になる

鏡屋の前に来て
ふと驚きぬ
見すぼらしげに歩むものかも

何《なに》となく汽車に乗りたく思ひしのみ
汽車を下《お》りしに
ゆくところなし

空家《あきや》に入《い》り
煙草《たばこ》のみたることありき
あはれただ一人居たきばかりに

何《なに》がなしに
さびしくなれば出てあるく男となりて
三月《みつき》にもなれり

やはらかに積れる雪に
熱《ほ》てる頬《ほ》を埋《うづ》むるごとき
恋してみたし

かなしきは
飽くなき利己の一念を
持てあましたる男にありけり

手も足も
室《へや》いつぱいに投げ出して
やがて静かに起きかへるかな

百年《ももとせ》の長き眠りの覚めしごと
呿呻《あくび》してまし
思ふことなしに

腕拱《く》みて
このごろ思ふ
大いなる敵目の前に躍り出《い》でよと

手が白く
且《か》つ大《だい》なりき
非凡なる人といはるる男に会ひしに

こころよく
人を讃《ほ》めてみたくなりにけり
利己の心に倦《う》めるさびしさ

雨降れば
わが家《いへ》の人誰《たれ》も誰も沈める顔す
雨霽《は》れよかし

高きより飛びおりるごとき心もて
この一生を
終るすべなきか

この日頃《ひごろ》
ひそかに胸にやどりたる悔《くい》あり
われを笑はしめざり

へつらひを聞けば
腹立《だ》つわがこころ
あまりに我を知るがかなしき

知らぬ家たたき起して
遁《に》げ来るがおもしろかりし
昔の恋しさ

非凡なる人のごとくにふるまへる
後《のち》のさびしさは
何《なに》にかたぐへむ

大いなる彼の身体《からだ》が
憎かりき
その前にゆきて物を言ふ時

実務には役に立たざるうた人《びと》と
我《われ》を見る人に
金借りにけり

遠くより笛の音《ね》きこゆ
うなだれてある故《ゆゑ》やらむ
なみだ流るる

それもよしこれもよしとてある人の
その気がるさを
欲しくなりたり

死ぬことを
持薬《ぢやく》をのむがごとくにも我はおもへり
心いためば

路傍《みちばた》に犬ながながと呿呻《あくび》しぬ
われも真似《まね》しぬ
うらやましさに

真剣になりて竹もて犬を撃つ
小児《せうに》の顔を
よしと思へり

ダイナモの
重き唸《うな》りのここちよさよ
あはれこのごとく物を言はまし

剽軽《へうきん》の性《さが》なりし友の死顔《しにがほ》の
青き疲れが
いまも目にあり

気の変る人に仕へて
つくづくと
わが世がいやになりにけるかな

竜《りよう》のごとくむなしき空《そら》に躍り出《い》でて
消えゆく煙
見れば飽かなく

こころよき疲れなるかな
息もつかず
仕事をしたる後《のち》のこの疲れ

空寝《そらね》入《い》り生欠伸《なまあくび》など
なぜするや
思ふこと人にさとらせぬため

箸《はし》止めてふつと思ひぬ
やうやくに
世のならはしに慣れにけるかな

朝はやく
婚期を過ぎし妹の
恋文めける文《ふみ》を読めりけり

しつとりと
水を吸ひたる海綿《かいめん》の
重さに似たる心地おぼゆる

死ね死ねと己《おのれ》を怒《いか》り
もだしたる
心の底の暗きむなしさ

けものめく顔あり口をあけたてす
とのみ見てゐぬ
人の語るを

親と子と
はなればなれの心もて静かに対《むか》ふ
気まづきや何《な》ぞ

かの船の
かの航海の船客《せんかく》の一人にてありき
死にかねたるは

目の前の菓子《くわし》皿《ざら》などを
かりかりと噛《か》みてみたくなりぬ
もどかしきかな

よく笑ふ若き男の
死にたらば
すこしはこの世のさびしくもなれ

何《なに》がなしに
息きれるまで駆け出してみたくなりたり
草原《くさはら》などを

あたらしき背広など着て
旅をせむ
しかく今年も思ひ過ぎたる

ことさらに燈火《ともしび》を消して
まぢまぢと思ひてゐしは
わけもなきこと

浅草の凌雲閣《りようううんかく》のいただきに
腕組みし日の
長き日記《にき》かな

尋常のおどけならむや
ナイフ持ち死ぬまねをする
その顔その顔

こそこその話がやがて高くなり
ピストル鳴りて
人生終る

時ありて
子供のやうにたはむれす
恋ある人のなさぬ業《わざ》かな

とかくして家を出《い》づれば
日光のあたたかさあり
息ふかく吸ふ

つかれたる牛のよだれは
たらたらと
千万年も尽きざるごとし

路傍《みちばた》の切石《きりいし》の上《うへ》に
腕拱《く》みて
空を見上ぐる男ありたり

何《なに》やらむ
穏かならぬ目付《めつき》して
鶴嘴《つるはし》を打つ群を見てゐる

心より今日は逃げ去れり
病《やまひ》ある獣《けもの》のごとき
不平逃げ去れり

おほどかの心来《きた》れり
あるくにも
腹に力のたまるがごとし

ただひとり泣かまほしさに
来て寝たる
宿屋の夜具のこころよさかな

友よさは
乞《こ》食《じき》の卑《いや》しさ厭《いと》ふなかれ
餓《う》ゑたる時は我も爾《しか》りき

新しきインクのにほひ
栓《せん》抜けば
餓《う》ゑたる腹に沁《し》むがかなしも

かなしきは
喉《のど》のかわきをこらへつつ
夜寒《よざむ》の夜具にちぢこまる時

一度でも我に頭を下げさせし
人みな死ねと
いのりてしこと

我に似し友の二人よ
一人は死に
一人は牢《らう》を出《い》でて今病む

あまりある才を抱《いだ》きて
妻のため
おもひわづらふ友をかなしむ

打明けて語りて
何《なに》か損をせしごとく思ひて
友とわかれぬ

どんよりと
くもれる空を見てゐしに
人を殺したくなりにけるかな

人並《ひとなみ》の才に過ぎざる
わが友の
深き不平もあはれなるかな

誰《たれ》が見てもとりどころなき男来て
威張りて帰りぬ
かなしくもあるか

はたらけど
はたらけど猶《なほ》わが生活《くらし》楽にならざり
ぢつと手を見る

何もかも行末《ゆくすゑ》の事みゆるごとき
このかなしみは
拭《ぬぐ》ひあへずも

とある日に
酒をのみたくてならぬごとく
今日われ切《せち》に金を欲《ほ》りせり

水晶の玉《たま》をよろこびもてあそぶ
わがこの心
何《なに》の心ぞ

事もなく
且《か》つこころよく肥えてゆく
わがこのごろの物足らぬかな

大いなる水晶の玉《たま》を
ひとつ欲し
それにむかひて物を思はむ

うぬ惚《ぼ》るる友に
合槌《あひづち》うちてゐぬ
施与《ほどこし》をするごとき心に

ある朝のかなしき夢のさめぎはに
鼻に入《い》り来《き》し
味噌《みそ》を煮る香《か》よ

こつこつと空地《あきち》に石をきざむ音
耳につき来《き》ぬ
家に入《い》るまで

何《なに》がなしに
頭のなかに崖《がけ》ありて
日毎《ひごと》に土のくづるるごとし

遠方《ゑんぱう》に電話の鈴《りん》の鳴るごとく
今日も耳鳴る
かなしき日かな

垢《あか》じみし袷《あはせ》の襟《えり》よ
かなしくも
ふるさとの胡桃《くるみ》焼くるにほひす

死にたくてならぬ時あり
はばかりに人目を避けて
怖き顔する

一隊の兵を見送りて
かなしかり
何《なに》ぞ彼等《かれら》のうれひ無《な》げなる

邦人《くにびと》の顔たへがたく卑《いや》しげに
目にうつる日なり
家にこもらむ

この次の休日《やすみ》に一日《いちにち》寝てみむと
思ひすごしぬ
三年《みとせ》このかた

或《あ》る時のわれのこころを
焼きたての
麵麭《ぱん》に似たりと思ひけるかな

たんたらたらたんたらたらと
雨滴《あまだれ》が
痛むあたまにひびくかなしさ

ある日のこと
室《へや》の障子《しやうじ》をはりかへぬ
その日はそれにて心なごみき

かうしては居《を》られずと思ひ
立ちにしが
戸外《おもて》に馬の嘶《いなな》きしまで

気ぬけして廊下に立ちぬ
あらかに扉《ドア》を推《お》せしに
すぐ開《あ》きしかば

ぢつとして
黒はた赤のインク吸ひ
堅くかわける海綿《かいめん》を見る

誰《たれ》が見ても
われをなつかしくなるごとき
長き手紙を書きたき夕《ゆふべ》

うすみどり
飲めば身体《からだ》が水のごと透きとほるてふ
薬はなきか

いつも睨《にら》むラムプに飽きて
三日《みか》ばかり
蠟燭《らふそく》の火にしたしめるかな

人間のつかはぬ言葉
ひよつとして
われのみ知れるごとく思ふ日

あたらしき心もとめて
名も知らぬ
街など今日もさまよひて来《き》ぬ

友がみなわれよりえらく見ゆる日よ
花を買ひ来て
妻としたしむ

何《なに》すれば
此処《ここ》に我《われ》ありや
時にかく打驚《うちおどろ》きて室《へや》を眺《なが》むる

人ありて電車のなかに唾《つば》を吐く
それにも
心いたまむとしき

夜明けまであそびてくらす場所が欲し
家をおもへば
こころ冷たし

人みなが家を持つてふかなしみよ
墓に入《い》るごとく
かへりて眠る

何《なに》かひとつ不思議を示し
人みなのおどろくひまに
消えむと思ふ

人といふ人のこころに
一人づつ囚人がゐて
うめくかなしさ

叱《しか》られて
わつと泣き出す子供心
その心にもなりてみたきかな

盗むてふことさへ悪《あ》しと思ひえぬ
心はかなし
かくれ家《が》もなし

放たれし女のごときかなしみを
よわき男の
感ずる日なり

庭石に
はたと時計をなげうてる
昔のわれの怒《いか》りいとしも

顔あかめ怒《いか》りしことが
あくる日は
さほどにもなきをさびしがるかな

いらだてる心よ汝《なれ》はかなしかり
いざいざ
すこし呿呻《あくび》などせむ

女あり
わがいひつけに背かじと心を砕く
見ればかなしも

ふがひなき
わが日《ひ》の本《もと》の女等《をんなら》を
秋雨《あきさめ》の夜《よ》にののしりしかな

男とうまれ男と交《まじ》り
負けてをり
かるがゆゑにや秋が身に沁《し》む

わが抱く思想はすべて
金なきに因《いん》するごとし
秋の風吹く

くだらない小説を書きてよろこべる
男憐《あは》れなり
初秋《はつあき》の風

秋の風
今日よりは彼《か》のふやけたる男に
口を利《き》かじと思ふ

はても見えぬ
真直《ますぐ》の街をあゆむごとき
こころを今日は持ちえたるかな

何事も思ふことなく
いそがしく
暮らせし一日《ひとひ》を忘れじと思ふ

何事も金金とわらひ
すこし経て
またも俄《には》かに不平つのり来《く》

誰《た》そ我に
ピストルにても撃てよかし
伊藤のごとく死にて見せなむ

やとばかり
桂《かつら》首相に手とられし夢みて覚めぬ
秋の夜《よ》の二時

煙

一

病《やまひ》のごと
思郷《しきやう》のこころ湧《わ》く日なり
目にあをぞらの煙かなしも

己《おの》が名をほのかに呼びて
涙せし
十四《じふし》の春にかへる術《すべ》なし

青空に消えゆく煙
さびしくも消えゆく煙
われにし似るか

かの旅の汽車の車掌が
ゆくりなくも
我が中学の友なりしかな

ほとばしる喞筒《ポンプ》の水の
心地よさよ
しばしは若きこころもて見る

師も友も知らで責めにき
謎《なぞ》に似る
わが学業のおこたりの因《もと》

教室の窓より遁《に》げて
ただ一人
かの城址《しろあと》に寝に行《ゆ》きしかな

不来方《こずかた》のお城の草に寝ころびて
空《そら》に吸はれし
十五の心

かなしみといはばいふべき
物の味
我の嘗《な》めしはあまりに早かり

晴れし空仰げばいつも
口笛を吹きたくなりて
吹きてあそびき

夜寝ても口笛吹きぬ
口笛は
十五の我の歌にしありけり

よく叱《しか》る師ありき
髯《ひげ》の似たるより山羊《やぎ》と名づけて
口真似《くちまね》もしき

われと共に
小鳥に石を投げて遊ぶ
後備《こうび》大尉《たいゐ》の子もありしかな

城址《しろあと》の
石に腰掛け
禁制の木《こ》の実をひとり味《あぢは》ひしこと

その後《のち》に我を捨てし友も
あの頃《ころ》はともに書《ふみ》読み
ともに遊びき

学校の図書庫《ぐら》の裏の秋の草
黄なる花咲きし
今も名知らず

花散れば
先《ま》づ人さきに白の服着て家出《い》づる
我にてありしか

今は亡《な》き姉の恋人のおとうとと
なかよくせしを
かなしと思ふ

夏休み果ててそのまま
かへり来《こ》ぬ
若き英語の教師もありき

ストライキ思ひ出《い》でても
今は早《は》や我が血躍らず
ひそかに淋《さび》し

盛岡の中学校の
露台《バルコン》の
欄干《てすり》に最《も》一度《いちど》我を倚《よ》らしめ

神有りと言ひ張る友を
説きふせし
かの路傍《みちばた》の栗《くり》の樹《き》の下《もと》

西風《にしかぜ》に
内丸大路《うちまるおほぢ》の桜の葉
かさこそ散るを踏みてあそびき

そのかみの愛読の書よ
大方《おほかた》は
今は流行《はや》らずなりにけるかな

石ひとつ
坂をくだるがごとくにも
我けふの日に到《いた》り着きたる

愁《うれ》ひある少年の眼《め》に羨《うらや》みき
小鳥の飛ぶを
飛びてうたふを

解剖《ふわけ》せし
蚯蚓《みみず》のいのちもかなしかり
かの校庭の木柵《もくさく》の下《もと》

かぎりなき智識《ちしき》の欲に燃ゆる眼《め》を
姉は傷《いた》みき
人恋ふるかと

蘇峯《そほう》の書を我に薦《すす》めし友早く
校を退《しりぞ》きぬ
まづしさのため

おどけたる手つきをかしと
我のみはいつも笑ひき
博学の師を

自《し》が才に身をあやまちし人のこと
かたりきかせし
師もありしかな

そのかみの学校一のなまけ者
今は真面目《まじめ》に
はたらきて居《を》り

田舎《ゐなか》めく旅の姿を
三日《みか》ばかり都に曝《さら》し
かへる友かな

茨島《ばらじま》の松の並木の街道を
われと行《ゆ》きし少女《をとめ》
才をたのみき

眼《め》を病みて黒き眼鏡《めがね》をかけし頃《ころ》
その頃よ
一人泣くをおぼえし

わがこころ
けふもひそかに泣かむとす
友みな己《おの》が道をあゆめり

先んじて恋のあまさと
かなしさを知りし我なり
先んじて老《お》ゆ

興来《きようきた》れば
友なみだ垂れ手を揮《ふ》りて
酔漢《ゑひどれ》のごとくなりて語りき

人ごみの中をわけ来《く》る
わが友の
むかしながらの太き杖《つゑ》かな

見よげなる年賀の文《ふみ》を書く人と
おもひ過ぎにき
三年《みとせ》ばかりは

夢さめてふつと悲しむ
わが眠り
昔のごとく安からぬかな

そのむかし秀才の名の高かりし
友牢《らう》にあり
秋のかぜ吹く

近眼《ちかめ》にて
おどけし歌をよみ出《い》でし
茂雄《しげを》の恋もかなしかりしか

わが妻のむかしの願ひ
音楽のことにかかりき
今はうたはず

友はみな或日《あるひ》四方《しはう》に散り行《ゆ》きぬ
その後《のち》八年《やとせ》
名挙げしもなし

わが恋を
はじめて友にうち明けし夜のことなど
思ひ出《い》づる日

糸きれし紙鳶《たこ》のごとくに
若き日の心かろくも
とびさりしかな

二

ふるさとの訛《なまり》なつかし
停車場《ていしやば》の人ごみの中に
そを聴きにゆく

やまひある獣《けもの》のごとき
わがこころ
ふるさとのこと聞けばおとなし

ふと思ふ
ふるさとにゐて日《ひ》毎《ごと》聴きし雀《すずめ》の鳴くを
三《み》年《とせ》聴かざり

亡《な》くなれる師がその昔
たまひたる
地理の本など取りいでて見る

その昔
小学校の柾屋根《まさやね》に我が投げし鞠《まり》
いかにかなりけむ

ふるさとの
かの路傍《みちばた》のすて石よ
今年も草に埋《うづ》もれしらむ

わかれをれば妹《いもと》いとしも
赤き緒《を》の
下駄《げた》など欲しとわめく子なりし

二日前に山の絵見しが
今朝になりて
にはかに恋しふるさとの山

飴売《あめうり》のチヤルメラ聴けば
うしなひし
をさなき心ひろへるごとし

このごろは
母も時時ふるさとのことを言ひ出《い》づ
秋に入《い》れるなり

それとなく
郷里《くに》のことなど語り出《い》でて
秋の夜《よ》に焼く餅《もち》のにほひかな

かにかくに渋民村《しぶたみむら》は恋しかり
おもひでの山
おもひでの川

田も畑《はた》も売りて酒のみ
ほろびゆくふるさと人《びと》に
心寄する日

あはれかの我の教へし
子等《ら》もまた
やがてふるさとを棄《す》てて出《い》づるらむ

ふるさとを出《い》で来《き》し子等《ら》の
相会ひて
よろこぶにまさるかなしみはなし

石をもて追はるるごとく
ふるさとを出《い》でしかなしみ
消ゆる時なし

やはらかに柳あをめる
北上《きたかみ》の岸辺《きしべ》目に見ゆ
泣けとごとくに

ふるさとの
村医《そんい》の妻のつつましき櫛巻《くしまき》なども
なつかしきかな

かの村の登記所に来て
肺病みて
間もなく死にし男もありき

小学の首席を我と争ひし
友のいとなむ
木賃宿《きちんやど》かな

千代治《ちよぢ》等も長じて恋し
子を挙げぬ
わが旅にしてなせしごとくに

ある年の盆の祭に
衣《きぬ》貸さむ踊れと言ひし
女を思ふ

うすのろの兄と
不具《かたは》の父もてる三太《さんた》はかなし
夜も書読《ふみよ》む

我《われ》と共に
栗毛《くりげ》の仔馬《こうま》走らせし
母の無き子の盗癖《ぬすみぐせ》かな

大形《おほがた》の被布《ひふ》の模様の赤き花
今も目に見ゆ
六歳《むつ》の日の恋

その名さへ忘られし頃《ころ》
飄然《へうぜん》とふるさとに来て
咳《せき》せし男

意地悪の大工《だいく》の子などもかなしかり
戦《いくさ》に出《い》でしが
生きてかへらず

肺を病む
極道《ごくだう》地主の総領の
よめとりの日の春の雷《らい》かな

宗次郎《そうじろ》に
おかねが泣きて口説《くど》き居《を》り
大根の花白きゆふぐれ

小心《せうしん》の役場の書記の
気の狂《ふ》れし噂《うはさ》に立てる
ふるさとの秋

わが従兄《いとこ》
野山の猟《かり》に飽きし後《のち》
酒のみ家売り病みて死にしかな

我ゆきて手をとれば
泣きてしづまりき
酔《ゑ》ひて荒《あば》れしそのかみの友

酒のめば
刀をぬきて妻を逐《お》ふ教師もありき
村を逐はれき

年ごとに肺病やみの殖《ふ》えてゆく
村に迎へし
若き医者かな

ほたる狩
川にゆかむといふ我を
山路《やまぢ》にさそふ人にてありき

馬鈴薯《ばれいしよ》のうす紫の花に降る
雨を思へり
都の雨に

あはれ我がノスタルジヤは
金《きん》のごと
心に照れり清くしみらに

友として遊ぶものなき
性悪《しやうわる》の巡査の子等《ら》も
あはれなりけり

閑古鳥《かんこどり》
鳴く日となれば起るてふ
友のやまひのいかになりけむ

わが思ふこと
おほかたは正しかり
ふるさとのたより着ける朝《あした》は

今日聞けば
かの幸《さち》うすきやもめ人《びと》
きたなき恋に身を入るるてふ

わがために
なやめる魂《たま》をしづめよと
讃美歌《さんびか》うたふ人ありしかな

あはれかの男のごときたましひよ
今は何処《いづこ》に
何を思ふや

わが庭の白き躑躅《つつじ》を
薄月《うすづき》の夜《よ》に
折りゆきしことな忘れそ

わが村に
初めてイエス・クリストの道を説きたる
若き女かな

霧ふかき好摩《かうま》の原の
停車場《ていしやば》の
朝の虫こそすずろなりけれ

汽車の窓
はるかに北にふるさとの山見え来《く》れば
襟《えり》を正すも

ふるさとの土をわが踏めば
何《なに》がなしに足軽《かろ》くなり
心重《おも》れり

ふるさとに入《い》りて先《ま》づ心傷《いた》むかな
道広くなり
橋もあたらし

見もしらぬ女《をんな》教師が
そのかみの
わが学舎《まなびや》の窓に立てるかな

かの家のかの窓にこそ
春の夜《よ》を
秀子《ひでこ》とともに蛙《かはづ》聴きけれ

そのかみの神童の名の
かなしさよ
ふるさとに来て泣くはそのこと

ふるさとの停車場《ていしやば》路《みち》の
川ばたの
胡桃《くるみ》の下に小石拾へり

ふるさとの山に向ひて
言ふことなし
ふるさとの山はありがたきかな

秋風のこころよさに

ふるさとの空遠みかも
高き屋《や》にひとりのぼりて
愁《うれ》ひて下《くだ》る

皎《かう》として玉《たま》をあざむく少人《せうじん》も
秋来《く》といふに
物を思へり

かなしきは
秋風ぞかし
稀《まれ》にのみ湧《わ》きし涙の繁《しじ》に流るる

青に透《す》く
かなしみの玉《たま》に枕《まくら》して
松のひびきを夜もすがら聴く

神寂《かみさ》びし七山《ななやま》の杉《すぎ》
火《ひ》のごとく染めて日入《い》りぬ
静かなるかな

そを読めば
愁《うれ》ひ知るといふ書《ふみ》焚《た》ける
いにしへ人《びと》の心よろしも

ものなべてうらはかなげに
暮れゆきぬ
とりあつめたる悲しみの日は

水潦《みづたまり》
暮れゆく空とくれなゐの紐《ひも》を浮べぬ
秋雨《あきさめ》の後《のち》

秋立つは水にかも似る
洗はれて
思ひことごと新しくなる

愁《うれ》ひ来て
丘にのぼれば
名も知らぬ鳥啄《ついば》めり赤き茨《ばら》の実

秋の辻《つじ》
四《よ》すぢの路《みち》の三《み》すぢへと吹きゆく風の
あと見えずかも

秋の声まづいち早く耳に入《い》る
かかる性《さが》持つ
かなしむべかり

目になれし山にはあれど
秋来れば
神や住まむとかしこみて見る

わが為《な》さむこと世に尽きて
長き日を
かくしもあはれ物を思ふか

さらさらと雨落ち来《きた》り
庭の面《も》の濡《ぬ》れゆくを見て
涙わすれぬ

ふるさとの寺の御廊《みらう》に
踏みにける
小櫛《をぐし》の蝶《てふ》を夢にみしかな

こころみに
いとけなき日の我となり
物言ひてみむ人あれと思ふ

はたはたと黍《きび》の葉鳴れる
ふるさとの軒端《のきば》なつかし
秋風吹けば

摩《す》れあへる肩のひまより
はつかにも見きといふさへ
日記《にき》に残れり

風流男《みやびを》は今も昔も
泡雪《あわゆき》の
玉手《たまで》さし捲《ま》く夜《よ》にし老ゆらし

かりそめに忘れても見まし
石だたみ
春生ふる草に埋《うも》るがごと

その昔揺籃《ゆりかご》に寝て
あまたたび夢にみし人か
切《せち》になつかし

神無《かみな》月《づき》
岩手の山の
初雪の眉《まゆ》にせまりし朝を思ひぬ

ひでり雨さらさら落ちて
前栽《せんざい》の
萩《はぎ》のすこしく乱れたるかな

秋の空廓寥《くわくれう》として影もなし
あまりにさびし
烏《からす》など飛べ

雨後《うご》の月
ほどよく濡《ぬ》れし屋根瓦《やねがはら》の
そのところどころ光るかなしさ

われ饑《う》ゑてある日に
細き尾を掉《ふ》りて
饑ゑて我《われ》を見る犬の面《つら》よし

いつしかに
泣くといふこと忘れたる
我泣かしむる人のあらじか

ああ酒のかなしみぞ我に来《きた》れる
立ちて舞ひなむ
汪然《わうぜん》として

蚰《いとど》鳴く
そのかたはらの石に踞《きよ》し
泣き笑ひしてひとり物言ふ

力なく病みし頃《ころ》より
口すこし開《あ》きて眠るが
癖となりにき

人ひとり得《う》るに過ぎざる事をもて
大願《たいぐわん》とせし
若きあやまち

物怨《ゑ》ずる
そのやはらかき上目《うはめ》をば
愛《め》づとことさらつれなくせむや

かくばかり熱き涙は
初恋の日にもありきと
泣く日またなし

長く長く忘れし友に
会ふごとき
よろこびをもて水の音聴く

秋の夜《よ》の
鋼鉄《はがね》の色の大空に
火を噴《は》く山もあれなど思ふ

岩手山《いはてやま》
秋はふもとの三方《さんぱう》の
野に満つる虫を何《なに》と聴くらむ

父のごと秋はいかめし
母のごと秋はなつかし
家持たぬ児《こ》に

秋来《く》れば
恋ふる心のいとまなさよ
夜《よ》もい寝《ね》がてに雁《かり》多く聴く

長月《ながつき》も半ばになりぬ
いつまでか
かくも幼く打出《うちい》でずあらむ

思ふてふこと言はぬ人の
おくり来《き》し
忘れな草もいちじろかりし

秋の雨に逆反《さかぞ》りやすき弓のごと
このごろ
君のしたしまぬかな

松の風夜昼《よひる》ひびきぬ
人訪《と》はぬ山の祠《ほこら》の
石馬《いしうま》の耳に

ほのかなる朽木《くちき》の香《かを》り
そがなかの蕈《たけ》の香りに
秋やや深し

時雨《しぐれ》降るごとき音して
木伝《こづた》ひぬ
人によく似し森の猿《さる》ども

森の奥
遠きひびきす
木のうろに臼《うす》ひく侏儒《しゆじゆ》の国にかも来《き》し

世のはじめ
まづ森ありて
半神《はんしん》の人そが中に火や守りけむ

はてもなく砂うちつづく
戈壁《ゴビ》の野に住みたまふ神は
秋の神かも

あめつちに
わが悲しみと月光と
あまねき秋の夜《よ》となれりけり

うらがなしき
夜《よる》の物の音《ね》洩《も》れ来《く》るを
拾ふがごとくさまよひ行《ゆ》きぬ

旅の子の
ふるさとに来て眠るがに
げに静かにも冬の来《き》しかな

忘れがたき人人

一

潮《しほ》かをる北の浜辺の
砂山のかの浜薔薇《はまなす》よ
今年も咲けるや

たのみつる年の若さを数へみて
指を見つめて
旅がいやになりき

三度《みたび》ほど
汽車の窓よりながめたる町の名なども
したしかりけり

函館《はこだて》の床屋の弟子を
おもひ出《い》でぬ
耳剃《そ》らせるがこころよかりし

わがあとを追ひ来て
知れる人もなき
辺土《へんど》に住みし母と妻かな

船に酔《ゑ》ひてやさしくなれる
いもうとの眼《め》見ゆ
津軽《つがる》の海を思へば

目を閉ぢて
傷心の句を誦《ず》してゐし
友の手紙のおどけ悲しも

をさなき時
橋の欄干《らんかん》に糞《くそ》塗りし
話も友はかなしみてしき

おそらくは生涯《しやうがい》妻をむかへじと
わらひし友よ
今もめとらず

あはれかの
眼鏡《めがね》の縁《ふち》をさびしげに光らせてゐし
女《をんな》教師よ

友われに飯《めし》を与へき
その友に背きし我の
性《さが》のかなしさ

函館《はこだて》の青柳町《あをやぎちやう》こそかなしけれ
友の恋歌
矢ぐるまの花

ふるさとの
麦のかをりを懐《なつ》かしむ
女の眉《まゆ》にこころひかれき

あたらしき洋書の紙の
香《か》をかぎて
一途《いちづ》に金を欲しと思ひしが

しらなみの寄せて騒げる
函館《はこだて》の大森浜《おほもりはま》に
思ひしことども

朝な朝な
支那《しな》の俗歌《ぞくか》をうたひ出《い》づる
まくら時計を愛《め》でしかなしみ

漂泊の愁《うれ》ひを叙して成らざりし
草稿の字の
読みがたさかな

いくたびか死なむとしては
死なざりし
わが来《こ》しかたのをかしく悲し

函館《はこだて》の臥牛《ぐわぎう》の山の半腹《はんぷく》の
碑の漢詩《からうた》も
なかば忘れぬ

むやむやと
口の中《うち》にてたふとげの事を呟《つぶや》く
乞食《こじき》もありき

とるに足らぬ男と思へと言ふごとく
山に入《い》りにき
神のごとき友

巻煙草《まきたばこ》口にくはへて
浪《なみ》あらき
磯《いそ》の夜霧に立ちし女よ

演習のひまにわざわざ
汽車に乗りて
訪《と》ひ来《き》し友とのめる酒かな

大川《おほかは》の水の面《おもて》を見るごとに
郁雨《いくう》よ
君のなやみを思ふ

智慧《ちゑ》とその深き慈悲とを
もちあぐみ
為《な》すこともなく友は遊べり

こころざし得ぬ人人の
あつまりて酒のむ場所が
我が家《いへ》なりしかな

かなしめば高く笑ひき
酒をもて
悶《もん》を解《げ》すといふ年上の友

若くして
数人《すにん》の父となりし友
子なきがごとく酔《ゑ》へばうたひき

さりげなき高き笑ひが
酒とともに
我が腸《はらわた》に沁《し》みにけらしな

呿呻《あくび》噛み
夜汽車の窓に別れたる
別れが今は物足らぬかな

雨に濡《ぬ》れし夜汽車の窓に
映りたる
山間《やまあひ》の町のともしびの色

雨つよく降る夜の汽車の
たえまなく雫《しづく》流るる
窓硝子《ガラス》かな

真夜中の
倶知安《くちあん》駅に下《お》りゆきし
女の鬢《びん》の古き痍《きず》あと

札幌《さつぽろ》に
かの秋われの持てゆきし
しかして今も持てるかなしみ

アカシヤの街樾《なみき》にポプラに
秋の風
吹くがかなしと日記《にき》に残れり

しんとして幅広き街の
秋の夜《よ》の
玉蜀黍《たうもろこし》の焼くるにほひよ

わが宿の姉と妹《いもと》のいさかひに
初夜過ぎゆきし
札幌《さつぽろ》の雨

石狩《いしかり》の美国《びくに》といへる停車場《ていしやば》の
柵《さく》に乾《ほ》してありし
赤き布片《きれ》かな

かなしきは小樽《をたる》の町よ
歌ふことなき人人の
声の荒さよ

泣くがごと首ふるはせて
手の相《さう》を見せよといひし
易者もありき

いささかの銭《ぜに》借りてゆきし
わが友の
後姿《うしろすがた》の肩の雪かな

世わたりの拙《つたな》きことを
ひそかにも
誇りとしたる我にやはあらぬ

汝《な》が痩《や》せしからだはすべて
謀叛気《むほんぎ》のかたまりなりと
いはれてしこと

かの年のかの新聞の
初雪の記事を書きしは
我なりしかな

椅子《いす》をもて我を撃たむと身構へし
かの友の酔《ゑ》ひも
今は醒《さ》めつらむ

負けたるも我にてありき
あらそひの因《もと》も我なりしと
今は思へり

殴らむといふに
殴れとつめよせし
昔の我のいとほしきかな

汝《なれ》三度《みたび》
この咽喉《のど》に剣《けん》を擬《ぎ》したりと
彼告別の辞に言へりけり

あらそひて
いたく憎みて別れたる
友をなつかしく思ふ日も来《き》ぬ

あはれかの眉《まゆ》の秀《ひい》でし少年よ
弟と呼べば
はつかに笑みしが

わが妻に着物縫はせし友ありし
冬早く来《く》る
植民地かな

平手もて
吹雪にぬれし顔を拭《ふ》く
友共《とも》産を主義とせりけり

酒のめば鬼のごとくに青かりし
大いなる顔よ
かなしき顔よ

樺太《からふと》に入《い》りて
新しき宗教を創《はじ》めむといふ
友なりしかな

治まれる世の事無さに
飽きたりといひし頃《ころ》こそ
かなしかりけれ

共同の薬屋開《ひら》き
儲《まう》けむといふ友なりき
詐欺《さぎ》せしといふ

あをじろき頬《ほほ》に涙を光らせて
死をば語りき
若き商人《あきびと》

子を負ひて
雪の吹き入る停車場《ていしやば》に
われ見送りし妻の眉《まゆ》かな

敵として憎みし友と
やや長く手をば握りき
わかれといふに

ゆるぎ出《い》づる汽車の窓より
人先《ひとさき》に顔を引きしも
負けざらむため

みぞれ降る
石狩《いしかり》の野の汽車に読みし
ツルゲエネフの物語かな

わが去れる後《のち》の噂《うはさ》を
おもひやる旅出《たびで》はかなし
死ににゆくごと

わかれ来てふと瞬《また》けば
ゆくりなく
つめたきものの頬《ほほ》をつたへり

忘れ来《き》し煙草《たばこ》を思ふ
ゆけどゆけど
山なほ遠き雪の野の汽車

うす紅《あか》く雪に流れて
入日影《いりひかげ》
曠野《あらの》の汽車の窓を照せり

腹すこし痛み出《い》でしを
しのびつつ
長路《ちやうろ》の汽車にのむ煙草《たばこ》かな

乗合《のりあひ》の砲兵士官の
剣の鞘《さや》
がちやりと鳴るに思ひやぶれき

名のみ知りて縁もゆかりもなき土地の
宿屋安けし
我が家《いへ》のごと

伴《つれ》なりしかの代議士の
口あける青き寐顔《ねがほ》を
かなしと思ひき

今夜こそ思ふ存分泣いてみむと
泊りし宿屋の
茶のぬるさかな

水蒸気
列車の窓に花のごと凍《い》てしを染むる
あかつきの色

ごおと鳴る凩《こがらし》のあと
乾きたる雪舞ひ立ちて
林を包めり

空知《そらち》川《がは》雪に埋《うも》れて
鳥も見えず
岸辺の林に人ひとりゐき

寂寞《せきばく》を敵とし友とし
雪のなかに
長き一生を送る人もあり

いたく汽車に疲れて猶《なほ》も
きれぎれに思ふは
我のいとしさなりき

うたふごと駅の名呼びし
柔和なる
若き駅夫の眼《め》をも忘れず

雪のなか
処処《しよしよ》に屋根見えて
煙突の煙うすくも空《そら》にまよへり

遠くより
笛《ふえ》ながながとひびかせて
汽車今とある森林に入《い》る

何事も思ふことなく
日《ひ》一日《いちにち》
汽車のひびきに心まかせぬ

さいはての駅に下り立ち
雪あかり
さびしき町にあゆみ入りにき

しらしらと氷かがやき
千鳥なく
釧路《くしろ》の海の冬の月かな

こほりたるインクの罎《びん》を
火に翳《かざ》し
涙ながれぬともしびの下《もと》

顔とこゑ
それのみ昔に変らざる友にも会ひき
国の果《はて》にて

あはれかの国のはてにて
酒のみき
かなしみの滓《をり》を啜《すす》るごとくに

酒のめば悲しみ一時《いちじ》に湧《わ》き来《く》るを
寐《ね》て夢みぬを
うれしとはせし

出しぬけの女の笑ひ
身に沁《し》みき
厨《くりや》に酒の凍る真夜中

わが酔《ゑ》ひに心いためて
うたはざる女ありしが
いかになれるや

小奴《こやつこ》といひし女の
やはらかき
耳朶《みみたぼ》なども忘れがたかり

よりそひて
深夜の雪の中に立つ
女の右手《めて》のあたたかさかな

死にたくはないかと言へば
これ見よと
咽喉《のんど》の痍《きず》を見せし女かな

芸事《げいごと》も顔も
かれより優れたる
女あしざまに我《われ》を言へりとか

舞へといへば立ちて舞ひにき
おのづから
悪酒《あくしゅ》の酔《ゑ》ひにたふるるまでも

死ぬばかり我が酔《ゑ》ふをまちて
いろいろの
かなしきことを囁《ささや》きし人

いかにせしと言へば
あをじろき酔《ゑ》ひざめの
面《おもて》に強《し》ひて笑みをつくりき

かなしきは
かの白玉《しらたま》のごとくなる腕に残せし
キスの痕《あと》かな

酔《ゑ》ひてわがうつむく時も
水ほしと眼《め》ひらく時も
呼びし名なりけり

火をしたふ虫のごとくに
ともしびの明るき家に
かよひ慣れにき

きしきしと寒さに踏めば板軋《きし》む
かへりの廊下の
不意のくちづけ

その膝《ひざ》に枕《まくら》しつつも
我がこころ
思ひしはみな我のことなり

さらさらと氷の屑《くづ》が
波に鳴る
磯《いそ》の月夜のゆきかへりかな

死にしとかこのごろ聞きぬ
恋がたき
才あまりある男なりしが

十年《ととせ》まへに作りしといふ漢詩《からうた》を
酔《ゑ》へば唱へき
旅に老いし友

吸ふごとに
鼻がぴたりと凍りつく
寒き空気を吸ひたくなりぬ

波もなき二月《にぐわつ》の湾に
白塗《しろぬり》の
外国船が低く浮かべり

三味線《さみせん》の絃《いと》のきれしを
火事のごと騒ぐ子ありき
大雪《おほゆき》の夜《よ》に

神のごと
遠く姿をあらはせる
阿寒《あかん》の山の雪のあけぼの

郷里《くに》にゐて
身投げせしことありといふ
女の三味《さみ》にうたへるゆふべ

葡萄色《えびいろ》の
古き手帳にのこりたる
かの会合《あひびき》の時と処《ところ》かな

よごれたる足袋《たび》穿《は》く時の
気味わるき思ひに似たる
思出《おもひで》もあり

わが室《へや》に女泣きしを
小説のなかの事かと
おもひ出《い》づる日

浪淘沙《らうたうさ》
ながくも声をふるはせて
うたふがごとき旅なりしかな

二

いつなりけむ
夢にふと聴きてうれしかりし
その声もあはれ長く聴かざり

頰《ほ》の寒き
流離《りうり》の旅の人として
路《みち》問ふほどのこと言ひしのみ

さりげなく言ひし言葉は
さりげなく君も聴きつらむ
それだけのこと

ひややかに清き大理石《なめいし》に
春の日の静かに照るは
かかる思ひならむ

世の中の明るさのみを吸ふごとき
黒き瞳《ひとみ》の
今も目にあり

かの時に言ひそびれたる
大切の言葉は今も
胸にのこれど

真白《ましろ》なるランプの笠《かさ》の
瑕《きず》のごと
流離《りうり》の記憶消しがたきかな

函館《はこだて》のかの焼跡を去りし夜《よ》の
こころ残りを
今も残しつ

人がいふ
鬢《びん》のほつれのめでたさを
物書く時の君に見たりし

馬鈴薯《ばれいしよ》の花咲く頃《ころ》と
なれりけり
君もこの花を好きたまふらむ

山の子の
山を思ふがごとくにも
かなしき時は君を思へり

忘れをれば
ひよつとした事が思ひ出の種にまたなる
忘れかねつも

病むと聞き
癒《い》えしと聞きて
四百里《しひやくり》のこなたに我はうつつなかりし

君に似し姿を街に見る時の
こころ躍りを
あはれと思へ

かの声を最一度《もいちど》聴かば
すつきりと
胸や霽《は》れむと今朝も思へる

いそがしき生活《くらし》のなかの
時折のこの物おもひ
誰《たれ》のためぞも

しみじみと
物うち語る友もあれ
君のことなど語り出《い》でなむ

死ぬまでに一度会はむと
言ひやらば
君もかすかにうなづくらむか

時として
君を思へば
安かりし心にはかに騒ぐかなしさ

わかれ来て年を重ねて
年ごとに恋しくなれる
君にしあるかな

石狩《いしかり》の都の外の
君が家
林檎《りんご》の花の散りてやあらむ

長き文《ふみ》
三年《みとせ》のうちに三度《みたびき》来ぬ
我の書きしは四度《よたび》にかあらむ

手套《てぶくろ》を脱ぐ時

手套《てぶくろ》を脱ぐ手ふと休《や》む
何やらむ
こころかすめし思ひ出のあり

いつしかに
情《じやう》をいつはること知りぬ
髭《ひげ》を立てしもその頃《ころ》なりけむ

朝の湯の
湯槽《ゆぶね》のふちにうなじ載せ
ゆるく息する物思ひかな

夏来れば
うがひ薬の
病《やまひ》ある歯に沁《し》む朝のうれしかりけり

つくづくと手をながめつつ
おもひ出《い》でぬ
キスが上手《じやうず》の女なりしが

さびしきは
色にしたしまぬ目のゆゑと
赤き花など買はせけるかな

新しき本を買ひ来て読む夜半《よは》の
そのたのしさも
長くわすれぬ

旅七日《なのか》
かへり来《き》ぬれば
わが窓の赤きインクの染《し》みもなつかし

古文書《こもんじよ》のなかに見いでし
よごれたる
吸取紙《すひとりがみ》をなつかしむかな

手にためし雪の融《と》くるが
ここちよく
わが寐《ね》飽きたる心には沁《し》む

薄れゆく障子《しやうじ》の日影
そを見つつ
こころいつしか暗くなりゆく

ひやひやと
夜《よる》は薬の香《か》のにほふ
医者が住みたるあとの家かな

窓硝子《ガラス》
塵《ちり》と雨とに曇りたる窓硝子にも
かなしみはあり

六年《むとせ》ほど日毎《ひごと》日毎にかぶりたる
古き帽子も
棄《す》てられぬかな

こころよく
春のねむりをむさぼれる
目にやはらかき庭の草かな

赤煉瓦《れんぐわ》遠くつづける高塀《たかべい》の
むらさきに見えて
春の日ながし

銀座の裏の三階の煉瓦造《れんぐわづくり》に
やはらかに降る
春の雪

よごれたる煉瓦《れんぐわ》の壁に
降りて融《と》け降りては融くる
春の雪かな

目を病める
若き女の倚《よ》りかかる
窓にしめやかに春の雨降る

あたらしき木のかをりなど
ただよへる
新開町《しんかいまち》の春の静けさ

春の街
見よげに書ける女名《をんなな》の
門札《かどふだ》などを読みありくかな

そことなく
蜜柑《みかん》の皮の焼くるごときにほひ残りて
夕《ゆふべ》となりぬ

にぎはしき若き女の集会《あつまり》の
こゑ聴き倦《う》みて
さびしくなりたり

何処《どこ》やらに
若き女の死ぬごとき悩ましさあり
春の霙《みぞれ》降る

コニヤックの酔《ゑ》ひのあとなる
やはらかき
このかなしみのすずろなるかな

白き皿《さら》
拭《ふ》きては棚《たな》に重ねゐる
酒場の隅《すみ》のかなしき女

乾きたる冬の大路《おほぢ》の
何処《いづく》やらむ
石炭酸《せきたんさん》のにほひひそめり

赤赤と入日《いりひ》うつれる
河ばたの酒場の窓の
白き顔かな

新しきサラドの皿《さら》の
酢のかをり
こころに沁《し》みてかなしき夕《ゆふべ》

空色の罎《びん》より
山羊《やぎ》の乳をつぐ
手のふるひなどいとしかりけり

すがた見の
息のくもりに消されたる
酔《ゑ》ひのうるみの眸《まみ》のかなしさ

ひとしきり静かになれる
ゆふぐれの
厨《くりや》にのこるハムのにほひかな

ひややかに罎《びん》のならべる棚《たな》の前
歯せせる女を
かなしとも見き

やや長きキスを交して別れ来《き》し
深夜の街の
遠き火事かな

病院の窓のゆふべの
ほの白き顔にありたる
淡き見覚え

何時《いつ》なりしか
かの大川《おほかは》の遊船《いうせん》に
舞ひし女をおもひ出《で》にけり

用もなき文《ふみ》など長く書きさして
ふと人こひし
街に出てゆく

しめらへる煙草《たばこ》を吸へば
おほよその
わが思ふことも軽《かろ》くしめれり

するどくも
夏の来《きた》るを感じつつ
雨後の小庭《こには》の土の香《か》を嗅《か》ぐ

すずしげに飾り立てたる
硝子屋《ガラスや》の前にながめし
夏の夜《よ》の月

君来《く》るといふに夙《と》く起き
白シャツの
袖《そで》のよごれを気にする日かな

おちつかぬ我が弟の
このごろの
眼《め》のうるみなどかなしかりけり

どこやらに杭《くひ》打つ音し
大桶《おほをけ》をころがす音し
雪ふりいでぬ

人気《ひとげ》なき夜《よ》の事務室に
けたたましく
電話の鈴《りん》の鳴りて止《や》みたり

目さまして
ややありて耳に入《い》り来《きた》る
真夜中すぎの話声《はなしごゑ》かな

見てをれば時計とまれり
吸はるるごと
心はまたもさびしさに行《ゆ》く

朝朝《あさあさ》の
うがひの料《しろ》の水薬《すゐやく》の
罎《びん》がつめたき秋となりにけり

夷《なだ》らかに麦の青める
丘の根の
小径《こみち》に赤き小櫛《をぐし》ひろへり

裏山の杉生《すぎふ》のなかに
斑《まだ》なる日影這《は》ひ入る
秋のひるすぎ

港町
とろろと鳴きて輪を描く鳶《とび》を圧せる
潮《しほ》ぐもりかな

小春日《こはるび》の曇硝子《くもりガラス》にうつりたる
鳥影を見て
すずろに思ふ

ひとならび泳げるごとき
家家の高低《たかひく》の軒に
冬の日の舞ふ

京橋の滝山町《たきやまちやう》の
新聞社
灯《ひ》ともる頃《ころ》のいそがしさかな

よく怒《いか》る人にてありしわが父の
日ごろ怒らず
怒れと思ふ

あさ風が電車のなかに吹き入れし
柳のひと葉
手にとりて見る

ゆゑもなく海が見たくて
海に来《き》ぬ
こころ傷《いた》みてたへがたき日に

たひらなる海につかれて
そむけたる
目をかきみだす赤き帯かな

今日逢《あ》ひし町の女の
どれもどれも
恋にやぶれて帰るごとき日

汽車の旅
とある野中の停車場《ていしやば》の
夏草の香《か》のなつかしかりき

朝まだき
やつと間に合ひし初秋《はつあき》の旅出《たびで》の汽車の
堅き麵麭《ぱん》かな

かの旅の夜汽車の窓に
おもひたる
我がゆくすゑのかなしかりしかな

ふと見れば
とある林の停車場《ていしやば》の時計とまれり
雨の夜《よ》の汽車

わかれ来て
燈火《あかりを》小暗《ぐら》き夜《よ》の汽車の窓に弄《もてあそ》ぶ
青き林檎《りんご》よ

いつも来る
この酒肆《さかみせ》のかなしさよ
ゆふ日赤赤と酒に射《さ》し入る

白き蓮《はす》沼に咲くごとく
かなしみが
酔《ゑ》ひのあひだにはつきりと浮く

壁ごしに
若き女の泣くをきく
旅の宿屋の秋の蚊帳《かや》かな

取りいでし去年《こぞ》の袷《あはせ》の
なつかしきにほひ身に沁《し》む
初秋《はつあき》の朝

気にしたる左の膝《ひざ》の痛みなど
いつか癒《なほ》りて
秋の風吹く

売り売りて
手垢《てあか》きたなきドイツ語の辞書のみ残る
夏の末《すゑ》かな

ゆゑもなく憎みし友と
いつしかに親しくなりて
秋の暮れゆく

赤紙の表紙手擦《てず》れし
国禁《こくきん》の
書《ふみ》を行李《かうり》の底にさがす日

売ることを差し止められし
本の著者に
路《みち》にて会へる秋の朝かな

今日よりは
我も酒など呷《あふ》らむと思へる日より
秋の風吹く

大海《だいかい》の
その片隅《かたすみ》につらなれる島島の上《うへ》に
秋の風吹く

うるみたる目と
目の下の黒子《ほくろ》のみ
いつも目につく友の妻かな

いつ見ても
毛糸の玉をころがして
韈《くつした》を編む女なりしが

葡萄色《えびいろ》の
長椅子《ながいす》の上《うへ》に眠りたる猫《ねこ》ほの白《じろ》き
秋のゆふぐれ

ほそぼそと
其処《そこ》ら此処《ここ》らに虫の鳴く
昼の野に来て読む手紙かな

夜おそく戸を繰りをれば
白きもの庭を走れり
犬にやあらむ

夜《よ》の二時の窓の硝子《ガラス》を
うす紅《あか》く
染めて音なき火事の色かな

あはれなる恋かなと
ひとり呟《つぶや》きて
夜半《よは》の火《ひ》桶《をけ》に炭添へにけり

真《ま》白《しろ》なるランプの笠《かさ》に
手をあてて
寒き夜《よ》にする物思ひかな

水のごと
身体《からだ》をひたすかなしみに
葱《ねぎ》の香《か》などのまじれる夕《ゆふべ》

時ありて
猫《ねこ》のまねなどして笑ふ
三十路《みそぢ》の友のひとり住《ず》みかな

気弱なる斥候《せきこう》のごとく
おそれつつ
深夜の街を一人散歩す

皮膚がみな耳にてありき
しんとして眠れる街の
重き靴音《くつおと》

夜おそく停車場《ていしやば》に入《い》り
立ち坐《すわ》り
やがて出《い》でゆきぬ帽なき男

気がつけば
しつとりと夜霧下《お》りて居《を》り
ながくも街をさまよへるかな

若《も》しあらば煙草《たばこ》恵めと
寄りて来《く》る
あとなし人《びと》と深夜に語る

曠野《あらの》より帰るごとくに
帰り来《き》ぬ
東京の夜《よ》をひとりあゆみて

銀行の窓の下なる
舗石《しきいし》の霜にこぼれし
青インクかな

ちよんちよんと
とある小藪《こやぶ》に頬白《ほほじろ》の遊ぶを眺《なが》む
雪の野《や》の路《みち》

十月の朝の空気に
あたらしく
息吸ひそめし赤坊《あかんぼ》のあり

十月の産病院の
しめりたる
長き廊下のゆきかへりかな

むらさきの袖《そで》垂れて
空を見上げゐる支那人《しなじん》ありき
公園の午後

孩児《をさなご》の手ざはりのごとき
思ひあり
公園に来てひとり歩めば

ひさしぶりに公園に来て
友に会ひ
堅く手握り口疾《くちど》に語る

公園の木《こ》の間に
小鳥あそべるを
ながめてしばし憩《いこ》ひけるかな

晴れし日の公園に来て
あゆみつつ
わがこのごろの衰へを知る

思出《おもひで》のかのキスかとも
おどろきぬ
プラタスの葉の散りて触れしを

公園の隅《すみ》のベンチに
二度ばかり見かけし男
このごろ見えず

公園のかなしみよ
君の嫁ぎてより
すでに七月《ななつき》来しこともなし

公園のとある木蔭《こかげ》の捨椅子《すていす》に
思ひあまりて
身をば寄せたる

忘られぬ顔なりしかな
今日街に
捕吏《ほり》にひかれて笑める男は

マチ擦れば
二尺ばかりの明るさの
中をよぎれる白き蛾《が》のあり

目をとぢて
口笛かすかに吹きてみぬ
寐《ね》られぬ夜《よる》の窓にもたれて

わが友は
今日も母なき子を負ひて
かの城址《しろあと》にさまよへるかな

夜おそく
つとめ先よりかへり来て
今死にしてふ児《こ》を抱けるかな

二三《ふたみ》こゑ
いまはのきはに微《かす》かにも泣きしといふに
なみだ誘はる

真白《ましろ》なる大根の根の肥ゆる頃《ころ》
うまれて
やがて死にし児《こ》のあり

おそ秋の空気を
三尺四方《さんじやくしはう》ばかり
吸ひてわが児《こ》の死にゆきしかな

死にし児《こ》の
胸に注射の針を刺す
医者の手もとにあつまる心

底知れぬ謎《なぞ》に対《むか》ひてあるごとし
死児《しじ》のひたひに
またも手をやる

かなしみの強くいたらぬ
さびしさよ
わが児《こ》のからだ冷えてゆけども

かなしくも
夜《よ》明くるまでは残りゐぬ
息きれし児《こ》の肌《はだ》のぬくもり

悲しき玩具

呼吸《いき》すれば、
胸の中《うち》にて鳴る音あり。
凩《こがらし》よりもさびしきその音！

眼《め》閉づれど、
心にうかぶ何もなし。
さびしくも、また、眼をあけるかな。

途中にてふと気が変り、
つとめ先を休みて、今日も、
河岸《かし》をさまよへり。

咽喉《のど》がかわき、
まだ起きてゐる果物屋《くだものや》を探しに行《ゆ》きぬ。
秋の夜ふけに。

遊びに出て子供かへらず、
取り出して
走らせて見る玩具《おもちや》の機関車。

本を買ひたし、本を買ひたしと、
あてつけのつもりではなけれど、
妻に言ひてみる。

旅を思ふ夫の心！
叱《しか》り、泣く、妻子《つまこ》の心！
朝の食卓！

家を出て五町ばかりは、
用のある人のごとくに
歩いてみたれど――

痛む歯をおさへつつ、
日が赤赤と、
冬の靄《もや》の中にのぼるを見たり。

いつまでも歩いてゐねばならぬごとき
思ひ湧《わ》き来《き》ぬ、
深夜の町町。

なつかしき冬の朝かな。
湯をのめば、
湯気がやはらかに、顔にかかれり。

何《なん》となく、
今朝は少しく、わが心明るきごとし。
手の爪《つめ》を切る。

うつとりと
本の挿絵《さしゑ》に眺《なが》め入り、
煙草《たばこ》の煙吹きかけてみる。

途中にて乗換の電車なくなりしに、
泣かうかと思ひき。
雨も降りてゐき。

二晩おきに、
夜《よ》の一時頃《ごろ》に切通《きりどほし》の坂を上《のぼ》りしも——
勤めなればかな。

しつとりと
酒のかをりにひたりたる
脳の重みを感じて帰る。

今日もまた酒のめるかな！
酒のめば
胸のむかつく癖を知りつつ。

何事か今我《われ》つぶやけり。
かく思ひ、
目をうちつぶり、酔《ゑ》ひを味《あぢは》ふ。

すつきりと酔《ゑ》ひのさめたる心地よさよ！
夜中に起きて、
墨を磨《す》るかな。

真夜中の出窓に出《い》でて、
欄干《らんかん》の霜に
手先を冷やしけるかな。

どうなりと勝手になれといふごとき
わがこのごろを
ひとり恐るる。

手も足もはなればなれにあるごとき
ものうき寝覚《ねざめ》！
かなしき寝覚！

朝な朝な
撫《な》でてかなしむ、
下にして寝た方の腿《もも》のかろきしびれを。

曠野《あらの》ゆく汽車のごとくに、
このなやみ、
ときどき我の心を通る。

みすぼらしき郷里《くに》の新聞ひろげつつ、
誤植《ごしよく》ひろへり。
今朝のかなしみ。

誰《たれ》か我《われ》を
思ふ存分叱《しか》りつくる人あれと思ふ。
何《なん》の心ぞ。

何《なに》がなく
初恋人《びと》のおくつきに詣《まう》づるごとし。
郊外に来《き》ぬ。

なつかしき
故郷《こきやう》にかへる思ひあり、
久し振りにて汽車に乗りしに。

新しき明日の来《きた》るを信ずといふ
自分の言葉に
嘘《うそ》はなけれど——

考へれば、
ほんとに欲しと思ふこと有るやうで無し。
煙管《きせる》をみがく。

今日ひよいと山が恋しくて
山に来《き》ぬ。
去年《きよねん》腰掛けし石をさがすかな。

朝寝して新聞読む間《ま》なかりしを
負債のごとく
今日も感ずる。

よごれたる手をみる——
ちやうど
この頃《ごろ》の自分の心に対《むか》ふがごとし。

よごれたる手を洗ひし時の
かすかなる満足が
今日の満足なりき。

年明けてゆるめる心！
うつとりと
来《こ》し方をすべて忘れしごとし。

昨日《きのふ》まで朝から晩まで張りつめし
あのこころもち
忘れじと思へど。

戸の面《も》には羽子《はね》突く音す。
笑ふ声す。
去年《きよねん》の正月にかへれるごとし。

何《なん》となく、
今年はよい事あるごとし。
元日の朝、晴れて風無し。

腹の底より欠伸《あくび》もよほし
ながながと欠伸してみぬ、
今年の元日。

いつの年も、
似たよな歌を二つ三つ
年賀の文《ふみ》に書いてよこす友。

正月の四日になりて
あの人の
年に一度の葉書も来にけり。

世におこなひがたき事のみ考へる
われの頭よ!
今年もしかるか。

人がみな
同じ方角に向《む》いて行《ゆ》く。
それを横より見てゐる心。

いつまでか、
この見飽きたる懸額《かけがく》を
このまま懸けておくことやらむ。

ぢりぢりと、
蠟燭《らふそく》の燃えつくるごとく、
夜となりたる大晦日《おほみそか》かな。

青塗《あをぬり》の瀬戸の火鉢《ひばち》によりかかり、
眼《め》閉ぢ、眼を開け、
時を惜《をし》めり。

何《なん》となく明日はよき事あるごとく
思ふ心を
叱《しか》りて眠る。

過ぎゆける一年《いちねん》のつかれ出《で》しものか、
元日といふに
うとうと眠し。

それとなく
その由《よ》るところ悲しまる、
元日の午後の眠たき心。

ぢつとして、
蜜柑《みかん》のつゆに染まりたる爪《つめ》を見つむる
心もとなさ！

手を打ちて
眠気《ねむけ》の返事きくまでの
そのもどかしさに似たるもどかしさ！

やみがたき用を忘れ来《き》ぬ――
途中にて口に入れたる
ゼムのためなりし。

すつぽりと蒲団《ふとん》をかぶり、
足をちゞめ、
舌を出してみぬ、誰《たれ》にともなしに。

いつしかに正月も過ぎて、
わが生活《くらし》が
またもとの道にはまり来《きた》れり。

神様と議論して泣きし——
あの夢よ！
四日ばかりも前の朝なりし。

家にかへる時間となるを、
ただ一つの待つことにして、
今日も働けり。

いろいろの人の思はく
はかりかねて、
今日もおとなしく暮らしたるかな。

おれが若《も》しこの新聞の主筆ならば、
やらむ――と思ひし
いろいろの事！

石狩《いしかり》の空知郡《そらちごほり》の
牧場《ぼくぢやう》のお嫁さんより送り来《き》し
バタかな。

外套《ぐわいたう》の襟《えり》に頤《あご》を埋《うづ》め、
夜ふけに立どまりて聞く。
よく似た声かな。

Yといふ符牒《ふてふ》、
古日記《ふるにつき》の処処《しよしよ》にあり――
Yとはあの人の事なりしかな。

百姓の多くは酒をやめしといふ。
もつと困らば、
何をやめるらむ。

目さまして直《す》ぐの心よ！
年よりの家出の記事にも
涙出《い》でたり。

人とともに事をはかるに
適せざる、
わが性格を思ふ寝覚《ねざめ》かな。

何《なに》となく、
案外に多き気もせらる、
自分と同じこと思ふ人。

自分よりも年若き人に、
半日も気焔《きえん》を吐きて、
つかれし心！

珍らしく、今日は、
議会を罵《ののし》りつつ涙出《い》でたり。
うれしと思ふ。

ひと晩に咲かせてみむと、
梅の鉢《はち》を火に焙《あぶ》りしが、
咲かざりしかな。

あやまちて茶碗《ちやわん》をこはし、
物をこはす気持のよさを、
今朝も思へる。

猫《ねこ》の耳を引つぱりてみて、
にやと啼《な》けば、
びつくりして喜ぶ子供の顔かな。

何故《なぜ》かうかとなさけなくなり、
弱い心を何度も叱《しか》り、
金かりに行《ゆ》く。

待てど待てど、
来る筈《はず》の人の来ぬ日なりき、
机の位置を此処《ここ》に変へしは。

古新聞！
おやここにおれの歌の事を賞《ほ》めて書いてあり、
二三行なれど。

引越しの朝の足もとに落ちてゐぬ、
女の写真！
忘れゐし写真！

その頃《ころ》は気もつかざりし
仮名《かな》ちがひの多きことかな、
昔の恋文《こひぶみ》！

八年前《ぜん》の
今のわが妻の手紙の束《たば》！
何処《どこ》に蔵《しま》ひしかと気にかかるかな。

眠られぬ癖のかなしさよ！
すこしでも
眠気がさせば、うろたへて寝る。

笑ふにも笑はれざりき——
長いこと捜したナイフの
手の中《うち》にありしに。

この四五年、
空を仰ぐといふことが一度もなかりき。
かうもなるものか？

原稿紙にでなくては
字を書かぬものと、
かたく信ずる我が児《こ》のあどけなさ！

どうかかうか、今月も無事に暮らしたりと、
外《ほか》に欲もなき
晦日《みそか》の晩かな。

あの頃《ころ》はよく嘘《うそ》を言ひき。
平気にてよく嘘を言ひき。
汗が出《い》づるかな。

古手紙よ！
あの男とも、五年前は、
かほど親しく交はりしかな。

名は何《なん》と言ひけむ。
姓は鈴木なりき。
今はどうして何処《どこ》にゐるらむ。

生れたといふ葉書みて、
ひとしきり、
顔をはれやかにしてゐたるかな。

そうれみろ、
あの人も子をこしらへたと、
何《なに》か気の済む心地にて寝る。

『石川はふびんな奴《やつ》だ。』
ときにかう自分で言ひて、
かなしみてみる。

ドア推《お》してひと足出れば、
病人の目にはてもなき
長廊下かな。

重い荷を下《おろ》したやうな、
気持なりき、
この寝台《ねだい》の上《うへ》に来ていねしとき。

そんならば生命《いのち》が欲しくないのかと、
医者に言はれて、
だまりし心！

真夜中にふと目がさめて、
わけもなく泣きたくなりて、
蒲団《ふとん》をかぶれる。

話しかけて返事のなきに
よく見れば、
泣いてゐたりき、隣りの患者。

病室の窓にもたれて、
久しぶりに巡査を見たりと、
よろこべるかな。

晴れし日のかなしみの一つ！
病室の窓にもたれて
煙草《たばこ》を味《あぢは》ふ。

夜おそく何処《どこ》やらの室《へや》の騒がしきは
人や死にたらむと、
息をひそむる。

脈《みやく》をとる看護婦の手の、
あたたかき日あり、
つめたく堅き日もあり。

病院に入《い》りて初めての夜《よ》といふに、
すぐ寝入りしが、
物足らぬかな。

何《なに》となく自分をえらい人のやうに
思ひてゐたりき。
子供なりしかな。

ふくれたる腹を撫《な》でつつ、
病院の寝台《ねだい》に、ひとり、
かなしみてあり。

目さませば、からだ痛くて
動かれず。
泣きたくなりて、夜明《よ》くるを待つ。

びつしよりと盗汗《ねあせ》出てゐる
あけがたの
まだ覚めやらぬ重きかなしみ。

ぼんやりとした悲しみが、
夜《よ》となれば、
寝台《ねだい》の上《うへ》にそつと来て乗る。

病院の窓によりつつ、
いろいろの人の
元気に歩くを眺《なが》む。

もうお前の心底《しんてい》をよく見届けたと、
夢に母来て
泣いてゆきしかな。

思ふこと盗みきかるる如《ごと》くにて、
つと胸を引きぬ――
聴診器より。

看護婦の徹夜するまで、
わが病ひ、
わるくなれとも、ひそかに願へる。

病院に来て、
妻や子をいつくしむ
まことの我にかへりけるかな。

もう嘘《うそ》をいはじと思ひき――
それは今朝――
今また一つ嘘をいへるかな。

何《なん》となく、
自分を嘘《うそ》のかたまりの如《ごと》く思ひて、
目をばつぶれる。

今までのことを
みな嘘《うそ》にしてみれど、
心すこしも慰まざりき。

軍人になると言ひ出して、
父母《ちちはは》に
苦労させたる昔の我《われ》かな。

うつとりとなりて、
剣をさげ、馬にのれる己《おの》が姿を
胸に描ける。

藤沢といふ代議士を
弟のごとく思ひて、
泣いてやりしかな。

何《なに》か一つ
大いなる悪事しておいて、
知らぬ顔してゐたき気持かな。

ぢつとして寝ていらつしやいと
子供にでもいふがごとくに
医者のいふ日かな。

氷嚢《ひようなう》の下より
まなこ光らせて、
寝られぬ夜《よる》は人をにくめる。

春の雪みだれて降るを
熱のある目に
かなしくも眺《なが》め入りたる。

人間のその最大のかなしみが
これかと
ふつと目をばつぶれる。

回診の医者の遅さよ！
痛みある胸に手をおきて
かたく眼《め》をとづ。

医者の顔色をぢつと見し外に
何も見ざりき——
胸の痛み募る日。

病みてあれば心も弱るらむ！
さまざまの
泣きたきことが胸にあつまる。

寝つつ読む本の重さに
つかれたる
手を休めては、物を思へり。

今日はなぜか、
二度も、三度も、
金側《きんがは》の時計を一つ欲しと思へり。

いつか是非、出さんと思ふ本のこと、
表紙のことなど、
妻に語れる。

胸いたみ、
春の霙《みぞれ》の降る日なり。
薬に噎《む》せて、伏して眼《め》をとづ。

あたらしきサラドの色の
うれしさに、
箸《はし》とりあげて見は見つれども——

子を叱《しか》る、あはれ、この心よ。
熱高き日の癖とのみ
妻よ、思ふな。

運命の来て乗れるかと
うたがひぬ——
蒲団《ふとん》の重き夜半《よは》の寝覚めに。

たへがたき渇き覚ゆれど、
　手をのべて
　林檎《りんご》とるだにものうき日かな。

氷嚢《ひようなう》のとけて温《ぬく》めば、
おのづから目がさめ来《きた》り、
　からだ痛める。

いま、夢に閑古鳥《かんこどり》を聞けり。
閑古鳥を忘れざりしが
かなしくあるかな。

ふるさとを出《い》でて五年《いつとせ》、
　病《やまひ》をえて、
かの閑古鳥《かんこどり》を夢にきけるかな。

閑古鳥《かんこどり》——
渋民村《しぶたみむら》の山荘をめぐる林の
あかつきなつかし。

ふるさとの寺の畔《ほとり》の
ひばの木の
いただきに来て啼《な》きし閑古鳥《かんこどり》！

脈をとる手のふるひこそ
かなしけれ——
医者に叱《しか》られし若き看護婦！

いつとなく記憶に残りぬ——
Fといふ看護婦の手の
つめたさなども。

はづれまで一度ゆきたしと
思ひゐし
かの病院の長廊下かな。

起きてみて、
また直《す》ぐ寝たくなる時の
力なき眼《め》に愛《め》でしチユリツプ！

堅く握るだけの力も無くなりし
やせし我が手の
いとほしさかな。

わが病《やまひ》の
その因《よ》るところ深く且《か》つ遠きを思ふ。
目をとぢて思ふ。

かなしくも、
病《やまひ》いゆるを願はざる心我《われ》に在り。
何《なん》の心ぞ。

新しきからだを欲しと思ひけり、
手術の傷の
痕《あと》を撫《な》でつつ。

薬のむことを忘るるを、
それとなく、
たのしみに思ふ長病《ながやまひ》かな。

ボロオヂンといふ露西亜名《ろしあな》が、
何故《なぜ》ともなく、
幾度《いくど》も思ひ出さるる日なり。

いつとなく我《われ》にあゆみ寄り、
　手を握り、
またいつとなく去りゆく人人！

友も妻もかなしと思ふらし——
　病みても猶《なほ》、
　革命のこと口に絶たねば。

やや遠きものに思ひし
テロリストの悲しき心も——
　近づく日のあり。

かかる目に
　すでに幾度《いくたび》会へることぞ！
成るがままに成れと今は思ふなり。

月に三十円もあれば、田舎《ゐなか》にては、
楽に暮せると――
ひよつと思へる。

今日もまた胸に痛みあり。
死ぬならば、
ふるさとに行《ゆ》きて死なむと思ふ。

いつしかに夏となれりけり。
やみあがりの目にこころよき
雨の明るさ！

病みて四月《ぐわつ》――
そのときどきに変りたる
くすりの味もなつかしきかな。

病みて四月《ぐわつ》——
その間《ま》にも、猶《なほ》、目に見えて、
わが子の背丈のびしかなしみ。

すこやかに、
背丈のびゆく子を見つつ、
われの日毎《ひごと》にさびしきは何《な》ぞ。

まくら辺《べ》に子を坐《すわ》らせて、
まじまじとその顔を見れば、
逃げてゆきしかな。

いつも子を
うるさきものに思ひゐし間《あひだ》に、
その子、五歳になれり。

その親にも、
親の親にも似るなかれ——
かく汝《な》が父は思へるぞ、子よ。

かなしきは、
（われもしかりき）
叱《しか》れども、打てども泣かぬ児《こ》の心なる。

「労働者」「革命」などといふ言葉を
聞きおぼえたる
五歳の子かな。

時として、
あらん限りの声を出し、
唱歌をうたふ子をほめてみる。

何思ひけむ――
玩具《おもちや》をすてておとなしく、
わが側《そば》に来て子の坐《すわ》りたる。

お菓子貰《もら》ふ時も忘れて、
二階より、
町の往来《ゆきき》を眺《なが》むる子かな。

新しきインクの匂《にほ》ひ、
目に沁《し》むもかなしや。
いつか庭の青めり。

ひとところ、畳を見つめてありし間《ま》の
その思ひを、
妻よ、語れといふか。

あの年のゆく春のころ、
眼《め》をやみてかけし黒眼鏡《めがね》——
　こはしやしにけむ。

薬のむことを忘れて、
　ひさしぶりに、
母に叱《しか》られしをうれしと思へる。

枕辺《まくらべ》の障子《しやうじ》あけさせて、
空を見る癖もつけるかな——
　長き病《やまひ》に。

おとなしき家畜のごとき
　心となる、
熱やや高き日のたよりなさ。

何《なに》か、かう、書いてみたくなりて、
　ペンを取りぬ——
花活《はないけ》の花あたらしき朝。

放たれし女のごとく、
わが妻の振舞ふ日なり。
　ダリヤを見入る。

あてもなき金などを待つ思ひかな。
　寝つ起きつして、
今日も暮したり。

何もかもいやになりゆく
この気持よ。
　思ひ出しては煙草《たばこ》を吸ふなり。

或《あ》る市《まち》にゐし頃《ころ》の事として、
　友の語る
恋がたりに嘘《うそ》の交《まじ》るかなしさ。

ひさしぶりに、
　ふと声を出して笑ひてみぬ——
蠅《はひ》の両手を揉《も》むが可笑《をか》しさに。

胸いたむ日のかなしみも、
かをりよき煙草《たばこ》の如《ごと》く、
　棄《す》てがたきかな。

何《なに》か一つ騒ぎを起してみたかりし、
　先刻《さつき》の我を
いとしと思へる。

五歳になる子に、何故《なぜ》ともなく、
ソニヤといふ露西亜《ろしあ》名をつけて、
呼びてはよろこぶ。

解けがたき
不和のあひだに身を処して、
ひとりかなしく今日も怒《いか》れり。

猫《ねこ》を飼はば、
その猫がまた争ひの種となるらむ、
かなしきわが家《いへ》。

俺《おれ》ひとり下宿屋にやりてくれぬかと、
今日もあやふく、
いひ出《い》でしかな。

ある日、ふと、やまひを忘れ、
牛の啼《な》く真似《まね》をしてみぬ、——
妻子《つまこ》の留守に。

かなしきは我が父！
今日も新聞を読みあきて、
庭に小蟻《こあり》と遊べり。

ただ一人の
をとこの子なる我《われ》はかく育てり。
父母《ふぼ》もかなしかるらむ。

茶まで断ちて、
わが平復《へいふく》を祈りたまふ
母の今日また何《なに》か怒《いか》れる。

今日ひよつと近所の子等《ら》と遊びたくなり、
呼べど来《きた》らず。
　こころむづかし。

やまひ癒《い》えず、
死なず、
　日毎《ひごと》にこころのみ険しくなれる七八月《ななやつき》かな。

買ひおきし
薬つきたる朝に来《き》し
　友のなさけの為替のかなしさ。

児《こ》を叱《しか》れば、
泣いて、寝入りぬ。
　口すこしあけし寝顔にさはりてみるかな。

何《なに》がなしに
肺が小さくなれる如《ごと》く思ひて起きぬ――
　秋近き朝。

秋近し！
電燈《でんとう》の球《たま》のぬくもりの
さはれば指の皮膚に親しき。

ひる寝せし児《こ》の枕辺《まくらべ》に
人形を買ひ来てかざり、
ひとり楽しむ。

クリストを人なりといへば、
妹の眼《め》がかなしくも、
われをあはれむ。

椽先《えんさき》にまくら出させて、
ひさしぶりに、
ゆふべの空にしたしめるかな。

庭のそとを白き犬ゆけり。
ふりむきて、
犬を飼はむと妻にはかれる。

（あとがき）

石川は遂《つひ》に死んだ。それは明治四十五年四月十三日の午前九時三十分であつた。その四五日前のことである。金がもう無い、歌集を出すやうにしてくれ、とのことであつた。で、すぐさま東雲堂へ行つて、やつと話がまとまつた。うけとつた金を懐《ふところ》にして電車に乗つてゐた時の心もちは、今だに忘れられない。一生忘れられないだらうと思ふ。石川は非常によろこんだ。氷嚢《ひようなう》の下から、どんよりした目を光らせて、いくたびもうなづいた。

しばらくして、「それで、原稿はすぐ渡さなくてもいゝのだらうな、訂《なほ》さなくちやならないところもある、癒《なほ》つたらおれが整理する」と言つた。その声は、かすれて聞きとりにくかつた。

「それでもいゝが、東雲堂へはすぐ渡すといつておいた、」と言ふと、「さうか」と、しばらく目を閉ぢて、無言でゐた。

やがて、枕《まくら》もとにゐた夫人の節子さんに、「おい、そこのノートをとつてくれ、――その陰気な、」とすこし上を向いた。ひどく痩《や》せたなアと、その時僕《ぼく》はおもつた。「どのくらゐある?」と石川は節子さんに訊《き》いた。一頁《ページ》に四首づゝで五十頁あるから四五の二百首ばかりだと答へると、「どれ、」と、石川は、その、灰色のラシヤ帋《がみ》の表帋《へうし》をつけた中版のノートをうけとつて、ところどころ披《ひら》いたが、「さうか。では、万事よろしくたのむ。」と言つて、それを僕に渡した。

それから石川は、全快したら、これこれのことをすると、苦しさうに、しかし、笑ひながら語つた。

かへりがけに、石川は、襖《ふすま》を閉めかけた僕を「おい」と呼びとめた。立つたまゝ「何だい」と訊くと、「おいこれからも、たのむぞ、」と言つた。

これが僕の石川に物をいはれた最後であつた。

石川は死ぬ、さうは思つてゐたが、いよいよ死んで、あとの事を僕がするとなると、実に変な気がする。

石川について、言ふとなると、あれもこれも言はなければならない。しかし、まだ、あまり言ひたくない。もつと、じつとだまつて、かんがへてゐたい。実際、石川の、二十八年の一生をかんがへるには、僕の今までがあまりに貧弱に思はれてならないのである。

しかし、この歌集のことについては、も少し書いておく必要がある。

これに収めたのは、大てい雑誌や新聞に掲げたものである。しかし、こゝにはすべて「陰気」なノートに依《よ》つた。順序、句読、行の立て方、字を下げるところ、すべてノートのままである。たゞ最初の二首は、その後帋片《しへん》に書いてあつたのを発見したから、それを入れたのである。第九十頁に一首空けてあるが、ノートに、あすこで頁が更《あらた》めてあるから、それもそのまゝにした（この一首分のアキは本編では省略した。――編注）。生きてゐたら、訂したいところもあるだらうが、今では、何とも仕やうがない。

それから、「一利己主義者と友人との対話」は創作の第九号（四十三年十一月発行）に掲げたもの、「歌のいろ〳〵」は朝日歌壇を選んでゐた時、（四十三年十二月前後）東京朝日新聞に連載したものである。この二つを歌集の後へ附《つ》けることは、石川も承諾したことである。（本編では省略。新潮文庫「石川啄木集（下）」に収録。――編注）

表題は、ノートの第一頁に「一握の砂以後明治四十三年十一月末より」と書いてあるから、それをそのまゝ表題にしたいと思つたが、それだと「一握の砂」とまぎらはしくて困ると東雲堂でいふから、これは止《や》むをえず、感想（「歌のいろ〳〵」のこと――編注）の最後に「歌は私の悲しい玩具である」とあるのをとつてそれを表題にした。これは節子さんにも伝へておいた。あの時、何とするか訊いておけばよかつたのであるが、あの寝姿を前にして、全快後の計画を話されてはもう、そんなことを訊けなかつた。

四十五年六月九日

土岐哀果

拾遺

涼月集（「明星」明治三十八年七月号掲載）

まどろめば珠《たま》のやうなる句はあまた胸に蕾《つぼ》みぬみ手を枕《まくら》に
青梅は音して落ちぬほと〵ぎす聴くと立つなる二人の影に
薄月に立つをよろこぶ人と人饒舌《ぜうぜつ》なれば鳥き〵それぬ
宵闇《よひやみ》や鳥まつ庭の燈籠《とうろう》に灯《ひ》入れむ月のほのめくまでを
一瞬も憎しと思ひ思ふ日のあらぬ無聊《ぶりやう》に君うらみける
夜の鐘を立ちてかぞへぬほと〵ぎす聴かで入りける戸の入口に
中津《なかつ》川《がは》や月に河鹿《かじか》の啼《な》く夜なり涼風《すゞかぜ》追ひぬ夢見る人と

山　蓼（「小天地」明治三十八年九月号〈第一巻第一号〉掲載）

君を我はみそら照る日を向日葵《ひぐるま》は終日《ひもねす》恋ひぬ夏のいのちに

丁未日記（明治四十年五月の日記より）

汗おぼゆ。津軽《つがる》の瀬戸の速潮《はやじほ》を山に放たば青嵐《せいらん》せむ。

石　破　集（「明星」明治四十一年七月号掲載）

津軽《つがる》の海その南北と都とに別れて泣ける父と母と子

わが父は六十にして家をいで師僧の許《もと》に聴聞《ちやうもん》ぞする

わが家に安けき夢をゆるさざる国に生れて叛逆《はんぎやく》もせず
大音《だいおん》に泣くをえなさず今日も猶日記《なほにき》を背負へる流離《りうり》の一人《ひとり》

新詩社詠草其四　（「明星」明治四十一年八月号掲載）

ものみなの外《ほか》の一つをつくるてふ母のねがひに生れたれども
小蟻《こあり》どもあかき蚯蚓《みみず》のなきがらを日に二尺ほど曳《ひ》きて日暮れぬ
故郷《ふるさと》の林に照れる月かげは神代《かみよ》の水のごとく澄むらむ
背《せ》よと呼び吾妹《わぎも》とこたへやがてただ死なむとのみに恋はしにきや
死になむと思ふ夕に故郷《ふるさと》の山の緑の暗《やみ》にほの見ゆ

虚白集（「明星」明治四十一年十月菊花号掲載）

ほのぼのと明けゆく庭に天雲《あまぐも》ぞ流れきたれるしら梅散るも
よき事か否《いな》かかかるは御心にみづから判じ給《たま》ふべからむ
それもこれも皆君といふ源に来て今日とけし謎《なぞ》なりしかな
形あるもの皆くだき然《しか》る後好むかたちに作らむぞよき
幾山川《いくやまかは》遠き津軽《つがる》の早潮の瀬戸をへだてて我等《ら》かつ恋ふ
二十三ああわが来しは砂原か印《しる》しし足の跡かたもなし
音もなく雪降りくるを大空に真白き鳥の死ぬやと思ふ
神多き国に生れて春秋《はるあき》の祭見るまに女《をなご》になりぬ

故郷《ふるさと》の谷の谺《こだま》に今も猶《なほ》こもりてあらむ母が梭《をさ》の音《ね》
月夜よしただ二柱《ふたはしら》神ありしその古《いにしへ》の静けさ思ほゆ
人妻の目のうるめるは秋の野に露あるに似ていとどよろしき
日《ひ》高見《たかみ》の国つ高原おほらかにしののめすらし四方《よも》に雞《かけ》鳴く
久方の天《あめ》なる雲の白妙《しろたへ》の床《とこ》に誰れ泣く秋風ふけり
秋風は寝つつか聞かむ青に透《す》くかなしみの珠《たま》を枕《まくら》にはして

謎 （「明星」明治四十一年十一月号〈終刊号〉掲載）

世にあれば古今《いにしへいま》を貫きて恋ふらくはよし生けるしるしに
その昔読みしことある小説に書かれし如《ごと》く帰る路《みち》かな

千万の蝶《てふ》わが右手《めて》にあつまりぬ且《か》つ君も来ぬ若き日の夢

冬は来ぬたとへば遠き旅人の故郷《ふるさと》に来て眠るごとくに

道ばたに菫《すみれ》を多く見いでつつ歩む心地に御言葉《みことば》をきく

打見ては高低《たかひく》のなき地図のごと君のいふこと平らなるかな

山と山あひだに春の霞《かすみ》ひくごとき隔てはありてまたよし

冬椿《つばき》氷のなかに咲く如《ごと》き靄《もや》のあしたの忘られぬかな

小　春　日（「岩手日報」明治四十一年十一月三日掲載）

ポンプの水さとほとばしるその如《ごと》く思ふこと言はば心よからむ

明治四十一年歌稿ノート　暇ナ時　（六月二十四、二十五、二十六日）

わが病める心の駒《こま》も黒髪の鞭《むち》をおそれて跳らむとする

杳然《えうぜん》と黄昏《たそが》れて来ぬその時につと我離る君は人妻、

いつはりの声を交へぬ言葉もてただ一言をいはむと願ふ

かくてまた我が生涯《しやうがい》の一巻の劇詩の中の一齣《セツ》を書く

父と母猶《なほ》ましませり故《ゆゑ》に我死ぬを得ざりとまた筆をとる

児《こ》よといひわが頬撫《ほほな》でけむそのみ手の病みて動かずなれる母はも

父母のあまり過ぎたる愛育にかく風狂《ふうきやう》の児《こ》となりしかな

妻と子と父と母とは各々《おのおの》に手ランプをもて暗中《やみなか》を来る

ただ一つ家して住まむ才能を我にあたへぬ神を罵《ののし》る

今日切に〈我〉猶をさなくて故《ふる》さとの寺にありける日を恋ふるかな

我れ父の怒《いか》りをうけて声高く父を罵《ののし》り泣ける日思ふ

母われをうたず罪なき妹をうちて懲《こら》せし日もありしかな

我が母は今日も我より送るべき為替を待ちて門に立つらむ

夏来れど袷《あはせ》をぬがぬ人々は我と来て泣け夜の明くるまで

あたたかき飯を子に盛り古飯に湯をかけ給《たま》ふ母の白髪《しらかみ》

母君の泣くを見ぬ日は我ひとり〈泣きて暮せし一昨年〉ひそかに泣きしふるさとの夏

今日は汝《な》が生れし日ぞと〈食卓〉わが膳の上に載せたる一合の酒

父と我無言のままに〈夜の路を〉秋の夜中並びて行きし故郷《ふるさと》の路《みち》

わが父が蠟燭《らふそく》をもて蚊をやくと一夜寝ざりしこと夢となれ〈一昨年の夏〉

父母は老いていませりあはれ蚊よ皆来て我の瘦脛《やせすね》を螫《さ》せ

わが母の死ぬ日一日美《よ》き衣を着むと願へりゆるし給《たま》ふや

かく弱き我を生かさず殺さざる姿も見せぬ残忍の敵

一食の麵麭《パン》をさくにも天にます神よと呼べる人を笑はず

はてもなき高さにありてつねに〱涙たたへし大いなる眼よ

十一月四日の歌九首　(「東京朝日新聞」明治四十二年十一月五日)

またとなく悲しき祭りをろがむと集《つど》へる人の顔の悲しさ

とぶらひの砲《つゝ》鳴りわたり鳴りをはるそのひと時は日も照らずけり

もろ〳〵の悲しみの中《なか》の第一のかなしき事に会へるものかも
火の山の火吐かずなれるその夜《よる》のさびしさよりもさびしかりけり
御柩《みひつぎ》の前の花環《はなわ》のことさらに赤き色など目にのこりつつ
ゆるやかに柩《ひつぎ》の車きしりゆくあとに立ちたる白き塵《ちり》かな
目の前にたふれかかれる大木《たいぼく》は支へがたかり今日のかなしみ
くもりたる空より雨の落くるをただ事《ごと》としも今日は思はず
しかはあれ君のごとくに死ぬことは我が年ごろの願ひなりしかな

百回通信（一八）より　（「岩手日報」明治四十二年十一月七日掲載）

いにしへの彼《か》の外国《とつくに》の大王《だいわう》の如《ごと》くに君のたふれたるかな

夜《よ》をこめていたみ給《たま》へる大君《おほぎみ》の大御心《おほみこゝろ》もかしこかりけり

　　明治四十二年作歌手帳

再びと相逢ふことのなかるべき人に交りて春の街ゆく

明日になれば皆嘘《うそ》になる事共と知りつゝ今日も何故《なぜ》に歌よむ

　　手をとりし日　（「東京毎日新聞」明治四十三年三月十日掲載）

長く〳〵忘れし友にあふ如《ごと》き喜びをもて水の音きく

風の吹く日の歌　（「東京毎日新聞」明治四十三年三月十四日掲載）

何時《いつ》になり何歳《いくつ》にならば忘れえむ今日もおもひぬ故郷《ふるさと》のこと

道ゆけば若き女のあとおひて心われより逃げゆく日かな

遠近《をちこち》の林の上の煤煙《ばいえん》の春の雲めくきさらぎの午後

曇れる日の歌（七）　（「東京朝日新聞」明治四十三年三月二十八日掲載）

心地よげに欠伸《あくび》してゐる人をみてつまらぬ思ひ止《や》めにけるかな

故郷《ふるさと》のかの路傍《みちばた》の栗の木も今は大きくなりにたるべし

長く〳〵忘れてありし故郷《ふるさと》を思ひ出《い》でたり俄《にはか》になつかし

薄れゆく日影　(「東京毎日新聞」明治四十三年三月二十三日掲載)

たゞ軽《かろ》く笑ひ捨てたる其昔《そのかみ》の友の言葉の此頃《このごろ》身に沁《し》む

薄れゆく障子《しやうじ》の日影そを見つゝ心いつしか暗くなりたる

語る毎《ごと》さびしくなりし独身の友も娶《めと》りぬ少し安んず

眠る前の歌　(一)・(二)　(「東京朝日新聞」明治四十三年三月三十一日、四月七日掲載)

つくづくと我が手を見つつ思ひ出《い》でぬ手にかゝはらぬ古き事ども

暁《あかつき》の街をあゆめば先んじて覚めたることもさびしきものかな

瓦斯《がす》の火を半晌《はんとき》ばかりながめたり怒《いか》り少しく和《やはら》げるかな

柿の色づく頃（「東京毎日新聞」明治四十三年四月八日掲載）

褐色《かついろ》の皮の手袋脱ぐ時にふと君が手を思ひ出《で》にけり

手帳の中より（「東京朝日新聞」明治四十三年五月八日掲載）

おとなしく人にしたがふ安けさを漸《やうや》く知りて二十五になりぬ

手帳の中より（「東京朝日新聞」明治四十三年五月十六日掲載）

春の雪滝山町《たきやまちやう》の三階の煉瓦造《れんぐわづくり》によこさまに降る

君のことなど　（「東京毎日新聞」明治四十三年五月十七日掲載）

雪ふかき石狩《いしかり》の野の都なる氷柱《つらゝ》の窓のなつかしきかな

手帳の中より　（「東京朝日新聞」明治四十三年五月二十一日掲載）

目を病める女の夜《よる》の独唱《そろ》よりも猶《なほ》しめやかに春の雨降る

九月の夜の不平　（「創作」明治四十三年十月短歌号掲載）

つね日頃《ひごろ》好みて言ひし革命の語をつゝしみて秋に入れりけり

この世よりのがれむと思ふ企てに遊蕩《いうたう》の名を与へられしかな

秋の風我等《ら》明治の青年の危機をかなしむ顔撫《な》で〻吹く

時代閉塞《じだいへいそく》の現状を奈何《いか》にせむ秋に入りてことに斯《か》く思ふかな

明治四十三年の秋わが心ことに真面目《まじめ》になりて悲しも

明治四十三年歌稿ノート

夏の町かしらあらはに過ぎ去れるあとなし人をふりかへる哉《かな》

か〻ること喜ぶべきか泣くべきか貧しき人の上のみ思ふ

秋来れば心あたらし年々の同じなげきをこの年もする

怒《いか》れども心の底の底になほ怒らぬところありてさびしき

何よりもおのれを愛し生くといふさびしきことにあきはてにけり

手帳の中より　（「東京朝日新聞」明治四十三年八月十五日掲載）

木《こ》の実売る店に日を経てしなびたる木の実の如《ごと》き心をうとむ

このごろ　（「東京朝日新聞」明治四十四年一月八日掲載）

われとわが心に負へるいろ〳〵の負債《おひめ》を思ふ除夜のかなしみ

書簡より　（岩崎正宛賀状、明治四十五年一月一日　小石川より）

今も猶《なほ》やまひ癒《い》えずと告げてやる文さへ書かず深きかなしみに

解説

金田一京助

一　啄木《たくぼく》の生涯《しょうがい》

石川啄木は、禅寺《ぜんでら》に生れた神童だった。山寺のことで、もとより豊かではなかったけれど、生活難の何物たるかを知らずに成長した。それが、二十歳になった五月、処女詩集『あこがれ』を出版した得意の絶頂に、暗澹《あんたん》たる運命が前途にこの少年天才を待ち設けていようとは、神ならぬ身の知る由《よし》もなかったのである。

啄木は『あこがれ』一巻をふところに、「故郷の閑古鳥を聞きに、行って来る」というハガキをわれわれに飛ばして、突然帰郷した。あとになってわかったが、当時、郷里の檀家《だんか》との間に、いざこざが起って、啄木の両親が寺を出て還俗《げんぞく》し、盛岡市帷子《かたびら》小路に一家を構え、年来の恋人であった堀合節子嬢を迎えて結婚式を挙げさせようとする両親の電報や手紙で招き寄せられての帰郷だった。が、この帰郷を境に、まだ金をもうける道を知らなかった二十歳になったばかりの詩人の弱肩の上に、一家扶養《ふよう》の重荷が一度にのしかかって来たのであった。そして、身を終るまでふたたび浮び上がることのできない赤貧のどん底に、あえぎ通さねばならなかったのである。

新家庭の夢あたたかな余裕もなく、盛岡を引き上げて、やっぱり、一年前弊履《へいり》の如《ごと》く捨て去った郷里の渋民《しぶたみ》村へ、父母と妹と愛妻を連れて、おめおめと帰って行って土地の世話にならなければならなかった。

そのかみの神童の名の、かなしさよ、ふるさとに来て泣くはそのことで、とかくして、母校渋民小学校の代用教員になり、農家に間借りをして細々と暮しを立てたが、八円の俸給《ほうきゆう》では、米櫃《こめびつ》が始終空《から》で一家はほとんど餓死線上をさまよった。二十二歳の五月、一家離散して函館《はこだて》に。ここでは大火に焼き出されて札幌《さつぽろ》へ。ついで小樽《おたる》へ。二十三歳の一月、終《つい》に釧路《くしろ》へ、雪の中央山脈を越えて放浪する。

釧路新聞の編集長時代もたった三カ月、明治四十一年、荷物船に便乗して釧路を脱出、単身東京へ出て来たのは四月の末だった。

『あこがれ』時代の天才を誇負《こふ》した若い詩人は、さすがに生活にたたかれて苦労をする間に、生れ代ったように人間が変って来た。

それにもって生れた俊敏、いつもさきを早く見越して時代の先頭を駈《か》けていた彼は、早くも自然主義派の小説でひと旗をあげようと努力した。

しかしあの芸術至上主義の『あこがれ』の詩人が、一朝にして自然派の小説家になり切れなかった。書いても書いても、よい小説ができず、懊悩《おうのう》する。そしてその煩悶《はんもん》をば、短歌の形式を虐使《ぎゃくし》する快感にまぎらした（と彼自ら言った）。そうして六月・七月の頃《ころ》、夜な夜なたくさんの歌が出来て、『明星』の同人を一時リードした。

しかし、収入がなく、悶絶する。その間に『明星』が廃刊して『スバル』の発刊となった時、その編集者となり、その室《へや》が『スバル』の編集所となったが、依然として無収入に苦しみ通した。

四十二年三月、二十四歳、初めて朝日新聞に校正係として入社、六月に家族をまとめて初めて東京に家庭をもつ。本郷《ほんごう》弓町の床屋の二階だった。しかし、これから着々として建設的に思想を整理して行くことができ、この年の暮の十二月には評論『食《くら》ふべき詩』を書いて明らかに、芸術の為《ため》の芸術から人生の為の芸術へ百八十度の転回を見事に完成、翌四十三年には、再昨年夏以来の短歌をまとめた歌集『一握の砂』を刊行して、新短歌に再起した。

不幸にしてこの年の暮から、「おほどかの心来《き》たれり、あるくにも、腹に力のたまるがごとし」と平気でいた下腹部の異状が、越えて四十四年の二月、慢性腹膜炎とわかって入院、以後、社は欠勤して療養年余、四十五年の四月十三日体力が尽きて永眠してしまった。

二 『一握の砂』

『一握の砂』は、「我を愛する歌」百五十一首をもって初まる。「我を愛す」ということ、啄木の生涯を通して一貫したことであって、歌集『一握の砂』全体が、あるいは「我を愛する歌」と題されてもよかったくらい。どんな時代、どんな所でも、啄木は凡《およ》そ自暴自棄にはならなかった。自己に忠実だったこと、われわれ側《そば》で見ていて感心させられた。自分の作る詩には、きっと一々月日を入れて一つだって抜けたものはない。短歌でも一々ノートへ、その作歌の月日を入れて浄書をして保存した。だから日記でもあのように、病気で書けなくなるまでは続けたのである。

「かなしきは、飽くなき利己の一念を、持てあましたる男にありけり」「その膝《ひざ》に枕《まくら》しつつも、我がこころ、思ひしはみな我のことなり」「こころよく、人を讃《ほ》めてみたくなりにけり、利己の心に倦《う》めるさびしさ」というような歌もあるゆえんである。

歌集『一握の砂』の題名は、勿論《もちろん》同書の二番目の「一握《いちあく》の砂を示しし人を忘れず」から出ている。

それなら、この歌が巻頭にあったら、よさそうなものであるが、巻頭は「東海の」である。それについては、啄木は、歌集を出したのは四十三年の末のことであるが、当時私へこう言った。

「思い切って旧《ふる》い歌はすてたが『東海の』は、棄《す》て兼ねた。棄てた旧い歌の代表にこれを取って一番さきに附《つ》け加えて置いたのだ」

ということであった。「旧い歌」という意味は作歌時日の旧いのではなしに、歌風の旧いということであったらしい。「一握の砂を示しし」の方が六月二十三日の作で、「東海の」の方は二十四日の作だから。岩城之徳《ゆきのり》氏が、函館の啄木文庫所蔵の啄木の歌稿のノート「暇ナ時」で調べられたのに拠《よ》るのである。「暇ナ時」は、石川正雄君が河出書房から出した『啄木全集』中に収まって出たが、これには歌集に収まった分をば、重複を嫌《きら》って省略されたので、歌集の歌の何日の作かは、惜しいことに、この本では、わからないのである。同じ事は斎藤三郎君の作業にも惜しまれる。啄木が生前朝日新聞や毎日新聞にその時々に発表したものを、一々当時の新聞を繙《ひもと》いて、拾ってくれたが、やはり「歌集」に出た歌をば省いたので、文学史的に、歌集に載った歌が、いついつ発表になったものかを知るには、もう一度、当時の新聞を出して見なければならない。

「東海の」の歌は、「一握の砂を示しし」「いのちなき砂のかなしさ」その他の砂の歌と共に函館の大森浜《おおもりはま》を思い浮べて作った歌の一つと考えられるが、それなら、なぜ、「北海の」と言わずに「東海の」と言ったのか。それを問題にする人がある。尤《もっと》もなことであるけれど、北海道そのもの（いや日本そのもの）が、東海の小島なのである。写生などでなく、また、客観的叙述でなく、そういう概念的な、大らかな東海の意味であったから、旧い歌風の方に啄木自身が入れて考えて、棄てんとしながら、尚執着《なお》があって棄てかねたものだったのである。そういう歌なので、それで一部からは、啄木の代表的な歌のように愛吟《あいぎん》されもし、一部からはまたそれ故《ゆえ》にフフン！　と白眼視されるわけなのである。

なお、『一握の砂』の「我を愛する歌」の中には、「怒《いか》る時、かならずひとつ鉢《はち》を割り、九百九十九《くひやくくじふく》割りて死なまし」とか「死にたくてならぬ時あり」とか「大《だい》といふ字を百あまり、砂に書き、死ぬことをやめて帰り来《きた》れり」と言ったような、ずいぶん自棄的な歌があるのは、それらの作が、小説を書いて成らず、自信を失って、いらいらした時代の作だからである。

しかし、この篇《へん》には、朝日に入社してからの歌までも入っている。「こころよきあこの労《つか》れ、息もつかず、仕事をしたる後《のち》のこの疲れ」が、校正という与えられた仕事を、夢中になってやったあとの愉快さを私に話して、こう詠《よ》んだと話した歌だ。尤も、歌集へ載った時は「こころよき疲れなるかな」と直っている。

　そうやって、山ほどの校正を、息もつかず夢中にやってのけて、ちょっと手がすくと、社中の人だちをじいっと見渡して、人々を歌にして、紙きれに書いてはふっと吹きとばして置いたという。

　大いなる彼の身体《からだ》が、憎かりき、その前にゆきて物を言ふ時（佐藤北江編集長を）

　手が白く、且《か》つ大《だい》なりき、非凡なる人といはるる男に会ひしに（池辺三山主筆を）

これが、社会面の主任藪野椋十《やぶのむくじゅう》（渋川玄耳《げんじ》）氏の目に入って、社会面へ、啄木選の歌壇を設けてくれるに至った。又それを徳として、『一握の砂』出版の時に、序文を藪野椋十氏に書いて貰《もら》ういきさつになったものである。

　殊《こと》に「おほどかの心来《きた》れり、あるくにも、腹に力のたまるがごとし」は、四十三年の暮に、こんな歌を作ったと言って聞かされたもので、腹のふくれたのは、命取りの慢性腹膜炎の徴候だったのである。当時、腹式呼吸ということが流行して、下腹が出て来ることを喜ぶ傾向があって、この歌を聞くと、私は、「私もそうですよ」と言ってお互いちっとも病気とは気がつかなかったものである。

　有名な「はたらけど、はたらけど猶《なほ》わが生活《くらし》」の歌もこの篇の中にあり、すでに社会主義思想に入って来ていた。

篇末に「伊藤のごとく死にて見せなむ」「やとばかり、桂《かつら》首相に」の二首があって、人々をあっと驚かしているが、啄木には、吉井勇氏の言葉を借りれば「東洋豪傑風」のところ、あるいは、いわゆる志士という一面があって、それでこういう歌もあるわけである。

「煙」の篇のその一は、中学時代を送った盛岡の生活の回顧である。「十四《じふし》の春にかへる術《すべ》なし」十四は彼の中学二年で、阿部君と首席を争って交《かわ》る交《がわ》る正級長副級長をした全盛時代のことである。当時は海軍兵学校志望だった。

三年級になって文学青年になってゆく。即《すなわ》ち「師も友も知らで責めにき、謎《なぞ》に似る、わが学業のおこたりの因《もと》」不来方《こずかた》城の城址《じょうし》の「草に寝ころびて、空《そら》に吸はれし、十五の心」なのである。「蘇峯《そほう》の書を我に薦《すす》めし友」は、後の朝日新聞通信部長の伊東圭一郎氏、高山樗牛《ちょぎゅう》の文を推《お》す阿部修一郎氏、それに対して、啄木は上田敏氏の「みをつくし」をもって対抗したものだったのである。

「おどけたる手つきをかしと、我のみはいつも笑ひき、博学の師を」は、物理の下河《しもかわ》辺《べ》先生のことだった。

「茨島《ばらじま》の松の並木の街道を、われと行《ゆ》きし少女《をとめ》」は渋民村の親友金谷氏の妹さん。その次の次の歌から数首は、盛岡中学二級上にいた私などのことのようである。また「近眼《ちかめ》にて、おどけし歌をよみ出《い》でし、茂雄《しげを》の恋」は、当時啄木の一級下にいて、今は盛岡市の医師会長となっている小林医学博士のことである。啄木の妹さんに寄せた熱心な恋を悲しと詠《よ》んでいる。

「わが恋を、はじめて友にうち明けし」の友は、私のことだとした人があるそうだが、これは私ではない。思いあたることがないから。岩城之徳氏の啄木研究ノートの説がいいようである。

「煙」の篇その二は、渋民村の回想である。「石をもて追はるるごとく、ふるさとを出《い》でしかなしみ」は、愛する故郷をあてもない北海の放浪へ旅立つのに、たくさんの村人に送られて立つことか、逃げるように、――野良犬《のらいぬ》が、石をほうられて、だらりと尻尾《しつぽ》をたれて逃げて行くように立ち去った悲しみは、いつまでも忘れがたいと言ったのである。渋民の村人が何も啄木へ投石したのではない。ただ、そうして追われでもして逃げるように、立ち去った悲しみをいうのである。

「小学の首席を我と争ひし」は、工藤千代治君、後の渋民村長、非常な秀才で、啄木よりは二つぐらい年長だったかも知れないが、神童と呼ばれた啄木も、四年間おさえられて、卒業の時、終《つい》に抜いて啄木が首席で出たものだそうである。家は渋民村の宿屋であったことを言うのである。

「大形《おほがた》の被布《ひふ》の模様の赤き花、今も目に見ゆ、六歳《むつ》の日の恋」は、六歳で小学へ上がった時に、同級の女の子の美しい姿を、幼な心に美しいと思って見た回想であって、後の夫人になった節子さんのことではない。節子さんを知ったのは、盛岡へ出て中学も二年頃になってからのことだったから。

「我《われ》と共に、栗毛《くりげ》の仔《こ》馬《うま》走らせし、母の無き子の盗癖《ぬすみぐせ》」をあわれみ、「意地悪の大工《だいく》の子」や「友として遊ぶものなき、性悪《しやうわる》の巡査の子」をもあわれみ、「うすのろの兄と、不具《かたは》の父もてる三太《さんた》」の夜おそくまで本を読んでいるのをいとおしんだり、わがすてて来た故郷の人々に寄せる人間啄木の愛情が読者の心をあたためるのである。

「わがために、なやめる魂《たま》をしづめよと、讃美歌《さんびか》うたふ人」以下四首は、上野さめ子女史で、師範学校の女子部を卒業して渋民の小学校に赴任していた人。啄木の一級下の上野広一君の令姉で、後の京大の文学士滝浦文弥氏夫人である。

「秋風のこころよさに」は、巻頭の例言《れいげん》にあるように、明治四十一年秋（私と同宿時代）の作。いらいらした気持を脱却し得て、しみじみと秋を歌っていて、調子は、どこか少し逆もどりしたかにも見えるほどおだやかな姿が目立つ。

「忘れがたき人人」の篇は、北海放浪中の人々の追想で、その一は函館関係である。

「あはれかの、眼鏡《めがね》の縁《ふち》をさびしげに光らせてゐし、女《をんな》教師よ」は、若くして美しかった弥生《やよい》小学校教員、当時（明治四十年九月四日）の日記に「春愁の女」と評している高橋すゑ子女史。

「友われに飯《めし》を与へき、その友に背きし我の」の友は松岡蕗堂氏。

「とるに足らぬ男と思へと言ふごとく、山に入《い》りにき、神のごとき友」は大島流人氏。

「演習のひまにわざわざ、汽車に乗りて、訪《と》ひ来《き》し友」以下三首は一年志願兵の宮崎郁雨《いくう》氏。

「石狩《いしかり》の美国《びくに》といへる停車場《ていしやば》の」は、岩城氏の説かれるごとく、美唄《びばい》の記憶ちがい。

「椅子《いす》をもて我を撃たむと身構へし」以下五首は、小樽日報社に於《お》ける小林事務長の腕力を振《ふる》って啄木の頭を乱打した事件である。これを指ひとつ差さず、打たれながらアハハハと大笑したという有名な事件である。

「子を負ひて、雪の吹き入る停車場《ていしやば》に、われ見送りし妻」は、小樽日報社をやめて、釧路新聞へ赴《おもむ》く旅を小樽駅頭に送った妻を歌った歌で、これから以下「さいはての駅に下り立」つまでは、中央大山脈を越える汽車の旅で、北海道を詠んだ名歌の連続である。

「しらしらと氷かがやき、千鳥なく」から釧路新聞時代の歌、ここにはじめて歌妓《かぎ》の歌がぞくぞく出て来る。

「わが酔《ゑ》ひに心いためて、うたはざる女ありしが、いかになれるや」は、はじめに知った小静。

「小奴《こやつこ》といひし女」から以後十二首、小奴、今の近江屋旅館主、近江じん刀自《とじ》が対象である。

「忘れがたき人人」の二は、全部 橘 智恵子《たちばなちえこ》女史一人にかかるもの。女史は今は故人となったが、これは啄木の方が心ひそかに思った人で、ひょうびょうたる思慕の情がこの美しい二十二首の歌を生んでいる。

「手套《てぶくろ》を脱ぐ時」の歌は、集中最新の作で明治四十三年五月頃から以後の発表にかかるものである。冒頭の「こころかすめし思ひ出のあり」一瞬の心の閃《ひら》めきを捉《とら》えた名作であり、歌調が整って来て立派だ。銀座裏の煉瓦造《れんがづくり》の春の雪の二首など、全くよい。「京橋の滝山町《たきやまちやう》の、新聞社、灯《ひ》ともる頃《ころ》のいそがしさかな」私は、「灯《ひ》ともしごろの忙しさかな」と覚えている。朝日新聞社が当時そこにあったのである。

「夜おそく戸を繰りをれば、白きもの庭を走れり、犬にやあらむ」見落しがたい本集中の傑作の一つ。

巻末は、生れて、じきに亡《な》くなった長男真一君の哀悼の歌である。秋おそく生れて、ちょっと生きて、「空気を三尺四方《さんじやくしはう》」ほど吸ったか吸わないに、冷たくなって行ったとなげく。作者一流の考え方と表現。これで『一握の砂』が終る。

三　『悲しき玩具《がんぐ》』

草稿には、『一握の砂以後』と題してあった。啄木の臨終が近くなった頃、金の必要から第二歌集出版の件を若山牧水氏から、土岐哀果氏を通して、さきに『一握の砂』を出してくれた東雲堂へ二十円に売ったものだった。ただし「『一握の砂以後』では、『一握の砂』とまぎれていけない」ということで、それならば、啄木は、自分の歌を悲しき玩具だと言ったことがあるから、「悲しき玩具」としようと土岐氏の発案でそうなった。刊行になったのは啄木の死後二カ月、明治四十五年の六月であった。

第一歌集に比較をすると、いよいよ一家の風が、あざやかに出て、すっきりしたものが多くなって来た。

「痛む歯をおさへつつ、日が赤赤と、冬の靄《もや》の中にのぼるを見たり。」は、まだ誰《だれ》もここまでは来なかったと斎藤茂吉翁の評した歌である。

やがて病に倒れるので、この集には病気の歌が多く、啄木の死を外遊中で知らなかった与謝野寛氏夫妻が、帰朝して、どうしても啄木が死んだと思えなかったが、この歌集を読むに及んで、なるほど死んだかなあと、悲しくも合点《がてん》が行ったと歎《なげ》かれた。

それにもかかわらず屈惑《くつたく》知らずの啄木には、明るい歌も間間に出て来る。「なつかしき冬の朝かな。湯をのめば、湯気がやはらかに、顔にかかれり。」「何《なん》となく、今朝は少しく、わが心明るきごとし。手の爪《つめ》を切る。」「うつとりと、本の挿絵《さしゑ》に眺《なが》め入り、煙草《たばこ》の煙吹きかけてみる。」など。

「真夜中の出窓に出《い》でて、欄干《らんかん》の霜に、手先を冷やしけるかな。」は、「キノ床」の二階には、表通りに面して出窓と欄干があったからである。

「石狩《いしかり》の空知郡《そらちごほり》の、牧場《ぼくぢやう》のお嫁さんより送り来《き》し、バタかな。」は、橘智恵子さんから、歌集『一握の砂』を送ったお礼の送り物だったのである。

「百姓の多くは酒をやめしといふ。」厳粛な顔が目に見えて来る。

「年よりの家出の記事にも、涙出《い》でたり。」朝、目をさますとすぐ目を通す新聞にそういう記事があって、故郷の代用教員時代、父上が雪の夜、家出をしたことを思い出したのである。

「生れたといふ葉書みて」私が、初生児の誕生を報じた葉書である。その前の晩、啄木をたずねて、「今、うちではお産がある。初生児の時に、主人が居合わせると、二番目も、三番目も、主人が居合わせないと産気がつかず、産婦が困るそうで、初産《ういざん》の時は、わざと席をはずしてくれとたのまれて出て来た」と語り、永《なが》く邪魔をして帰宅したら、子が生れていたので、安産の報知を出したのに答えてよこした葉書の歌である。今一首は、

「そうれみろ、あの人も子をこしらへたと、何《なに》か気の済む心地にて寝る。」これは、年下の啄木がすでに妻も子もあるのに、年上の私が童貞で居るのは、何か負い目を感じると言い言いしていた。安産の報を読んで「気の済む心地して寝た」というのである。

「何故《なぜ》かうかとなさけなくなり、弱い心を何度も叱《しか》り、金かりに行《ゆ》く。」「あの頃《ころ》はよく嘘《うそ》を言ひき。平気にてよく嘘を言ひき。汗が出《い》づるかな。」「人とともに事をはかるに、適せざる、わが性格を思ふ寝覚《ねざめ》かな。」

「もう嘘《うそ》をいはじと思ひき――それは今朝――今また一つ嘘をいへるかな。」「何《なん》となく、自分を嘘《うそ》のかたまりの如《ごと》く思ひて、目をばつぶれる。」生活派の歌は自己を責めることと、きびしい。生死の間にあって、まじまじと目をあいて、こう自分を責めているのである。しかも、

「目さませば、からだ痛くて、動かれず。」「びつしよりと盗汗《ねあせ》出てゐる」「たへがた

き渇き覚ゆれど、手をのべて、林檎《りんご》とるだにものうき日かな。」「春の雪みだれて降るを、熱のある目に、かなしくも眺《なが》め入りたる。」「胸いたみ、春の霙《みぞれ》の降る日なり。薬に噎《む》せて、伏して眼《め》をとづ。」「起きてみて、また直《す》ぐ寝たくなる時の、力なき眼《め》」「堅く握るだけの力も無くなりし、やせし我が手の、いとほしさかな。」こう読んで来ると、与謝野氏でなくとも、あまりに深い病気の実感に打たれてしまう。

「解けがたき、不和のあひだ」「その猫《ねこ》がまた争ひの種となるらむ、かなしきわが家《いへ》。」これは、気の激しい母堂と気丈の節子さんの間が、宿命的に懸絶《けんぜつ》して朝夕啄木の心を苦しめたから、

「やまひ癒《い》えず、死なず、日毎《ひごと》にこころのみ険しくなれる」も余儀なかった。が親孝行だった啄木は、その中にもこう歌っている。

「ただ一人の、をとこの子なる我《われ》はかく育てり。父母《ふぼ》もかなしかるらむ。」「茶まで断ちて、わが平復《へいふく》を祈りたまふ、母の今日また何《なに》か怒《いか》れる。」

しかし、死ぬ前に、友をゆるし、妻をゆるし、母をゆるし、妹をゆるし、すべてをゆるし、新しい明日の来るを信じて泰然として死んで行った啄木晩年の作品は、何事もなかったような平穏さで終っている。

「椽先《えんさき》にまくら出させて、ひさしぶりに、ゆふべの空にしたしめるかな。」「庭のそと

を白き犬ゆけり。ふりむきて、犬を飼はむと妻にはかれる。」

これで、啄木の歌集が終るのである。

四　拾遺啄木集

啄木の二つの歌集に漏《も》れたものは、河出書房版『啄木全集』第三回配本、「歌集暇な時」（石川正雄編）がある。函館の啄木文庫（函館図書館内）に遺《のこ》っている歌稿ノート四冊によったもので、正雄君によれば、この中には未発表の歌が百九十二首もあると言う。また岩波版『啄木歌集』の巻末「啄木歌集拾遺」は、啄木研究家、斎藤三郎氏多年の蒐集《しゅうしゅう》に成るもので、生前啄木が発表した限りの文献を克明に渉猟《しょうりょう》して、旧い所では明治三十四年盛岡中学校内回覧雑誌「爾伎多麻《にぎたま》」、三十五年の同校内白羊会詠草まで溯《さかのぼ》り、新しい所では、明治四十四年四月「精神修養」二ノ四所載や、同六月「学生」二ノ六に出た回憶吟に至り、その間、友人の書簡に出たものや、函館の宮崎氏へ、助力を乞《こ》う金の無心の電報の「ヒ一ニチクルシクナリヌアタマイタシキミノタスケヲマツミトナリヌ」（明治四十三年十二月二十六日）まで拾われていて、「暇な時」と相俟《あいま》って完璧《かんぺき》といえる。いまこういうものによって、拾遺啄木集を抄出した。両君の努力

ただ私の抄録の僭越《せんえつ》を恐れるが、故人に、枉《ま》げての賜《たまもの》であることを明記して感謝する。寛恕《かんじょ》を希《ねが》うのみ。

（昭和二十七年四月）

啄木と歌

山本健吉

一

歌集『一握の砂』が刊行されたのは、明治四十三年十二月一日であった。三行書きにした新しい表記方式と、日常語を用いた平易な親しみやすい表現とが、まず多くの読者を惹《ひ》きつけた。もっとも三行書きの歌集は、その年四月に刊行された土岐哀果のローマ字歌集"NAKIWARAI"がすでに先鞭《せんべん》をつけていて、啄木はそれに示唆《しさ》されたものである。彼は歌稿ノートにおいても、『明星』『スバル』その他に発表するときも、それらの歌を一行に書いていたが、歌集としてまとめる段になって、三行書きに改めたものである。

この試みは、在来の新詩社風の、現実から遊離した象徴的手法の歌から、脱出転換を企てていた当時の彼の歌風に、非常に適合していた。そのような転換がどのようにしてなされて、いわゆる啄木調の歌風を創《つく》り出すに至ったか、私は『一握の砂』を中心に一瞥《いちべつ》してみようと思う。

『一握の砂』は総歌数五五一首、明治四十一年夏以降の歌から選んだものであるが、その八割以上は四十三年の歌である。石川正雄氏や岩城之徳《ゆきのり》氏によって、それらの制作年代は仔細《しさい》に調べられている。この歌集は五つの章に分けられているが、その制作年代を参照することで、それぞれの章別の特色が明らかになる。

「我を愛する歌」一五一首。

自分の来し方を振りかえり、その生の悲しさをいとおしむ歌である。「おれはいのちを愛するから歌を作る。おれ自身が何より可愛《かはい》いから歌を作る。」(「一利己主義者と友人との対話」)命を愛するから、そのときどきにふときざす気持の動きを尊重する。ここでは、あるときは感傷的に、あるときは自嘲《じちよう》的に、時には棄《す》てばちに、詠《よ》み出している。日常語を使いながら詠み出された心の揺らめきの瞬間的な真実が、読者の心を捉《とら》えるのである。中には北海道流離の回想と想像されるものもある。大部分は四十三年の歌だが、冒頭の「東海の小島《こじま》」の歌を始め、四十一年の歌も若干まじり、少数の四十二年の歌もある。

「煙」(一、二)一〇一首。

幼少年期を過ごした故郷渋民《しぶたみ》村や盛岡で、触れ合った人と自然とを懐《なつか》しんだ回想の歌。代用教員時代の渋民村の回想もある。石をもて追われたという故郷ながら、それゆえになおいっそう思郷の心が切なく胸を締めつけたようである。大都会での生活に疲れながら故郷を思うことは、「青空の煙」のようなものだという気持があったのであろう。大部分は四十三年の歌だが、ごく少数の四十一年作が交《ま》じっている。

「秋風のこころよさに」五一首。

四十一年作を主体とした唯一《ゆいいつ》の章で、ごく少数の四十二年作、四十三年作が混じている。だから、この歌集中では一番古体で、比較的古語の使用が目立ち、『明星』的な臭気をややとどめている。この年四月、彼は北海道から単身上京して来た。自然主義の風潮に刺激され、志は小説にあったが、六月ごろから爆発的に歌興が湧《わ》いて、一夜のうちに百数十首も多作することがあった。金田一京助氏の下宿である本郷《ほんごう》菊坂町の赤心館《せきしんかん》にころがりこみ、下宿料滞納の催促で不愉快なことがあって、九月九日、金田一氏とともに森川町新坂の蓋平館《がいへいかん》別荘という高等下宿の三階の部屋に移ってからの作である。眺《なが》めが広く、秋風が常に部屋に満ちた新しい環境の快さが、彼の歌ごころをそそったのである。「暇ナ時」と題する歌稿ノートは、この年六月から十月までの歌を記したものである。

「忘れがたき人人」一(一、二)一三三首。

函館《はこだて》から札幌《さっぽろ》、小樽《おたる》を経て釧路《くしろ》に到《いた》る北海道各地の属目《しょくもく》と、そこで逢《あ》った忘れがたい人々の印象とを回想している。「煙」の思郷の歌とともに、この歌集のもっとも抒《じょ》情《じょう》的な部分であり、流離の思いが全体に強くただよっている。函館の苜蓿《ぼくしゅく》社の詩友たちを思う歌に、もっとも深い思慕の心が籠《こも》っている。釧路で浮名を歌われた芸妓《げいぎ》小《こ》奴《やっこ》の名も詠みこまれている。（二）の部分は、函館の弥生《やよい》尋常小学校での同僚であった女教師　橘《たちばな》智恵子《ちえこ》への思いを、もっぱら歌ったもの。別に大して交渉のあった女性ではないが、東京へ帰ってからその面影《おもかげ》がしきりにちらつき、文通したり著作を送ったりしたのである。さりげない出会いであったのが、年を経て記憶があざやかに甦《よみがえ》り、恋心にまで高まったのである。

「手套《てぶくろ》を脱ぐ時」一一五首。

四十三年の歌が大部分で、ごく少数の四十一年、四十二年の歌を交じえている。大方は東京での生活歌で、冒頭の一首にあるように、ある刹那《せつな》々々に心をかすめるとめない思いを歌ったもの。こういう歌に啄木の歌人としての本領は純粋に発揮されるようになったのであって、この章の作品は、ただちに第二歌集『悲しき玩具《がんぐ》』の世界につながる。最後の八首は生れて間もなく死んだ愛児真一を悲しむ歌で、歌集ではもっとも新しく、十月に歌稿を出版社に渡してから後、新たに付け加えたものである。

二

啄木が家族たちの世話を函館の宮崎郁雨《いくう》に押しつけ、北海道の漂泊生活を打ち切り、三河丸に乗って単身横浜港に上陸したのは、明治四十一年四月二十七日のことだった。横浜でまず会った新詩社の同人小島烏水《うすい》から聞きえたことは、詩が散文に圧倒されてゆく傾向が強まり、『有明集』が六百部しか売れぬということだった。啄木は北海道では、短歌や詩を作る機会が多かったが、遠く都の自然主義の動きを注目しながら、さいはての地を流寓《りゅうぐう》する身を歎息《たんそく》し、心はあせっていた。

彼は旧友金田一氏の好意で、その本郷菊坂の下宿に同居することとなったが、啄木と再会したときの印象を、金田一氏は次のように書いている。

「坐つてお互ひに顔をしげ〳〵見ながら、目を細くして感慨に咽《むせ》んだり、どれ〳〵まあ久振だから握手でもして健康で逢へたことを喜びませうよと手をのべて握つたり、何時《いつ》の間にか、すつかり二人とも忘れかけた国訛《なま》りになつて、一言づゝに感歎しながら、分れて以来のお互ひの生活を一と通り話し合つた。私の涙ぐましい程、嬉《うれ》しくもなつかしかつたのは何を云ふにも、今度の石川君は、しみ〴〵として、気取りもなければ、痩我慢《やせがまん》もなければ、見栄《みえ》坊もなく、一切の過去を奇麗に清算して少しのわだかまりなく、真実真底から出て来る本音のやうなことばかりが口を出る、といふ気分だつたことである。云ふことが、さうだらう、さうだらうと、みんなそのまゝ受取れてびし〳〵と来る事ばかりだつたことである。」（「流転から再会へ」――『定本石川啄木』）

一切の過去が綺麗《きれい》に清算されていたかどうかは分らない。啄木はやはり昔の啄木であったろう。だが辛酸を嘗《な》めた一年間の北海流寓が、彼の性格や態度に見える傲岸不遜《ごうがんふそん》の圭角《けいかく》を取り、人間的な成長を遂げさせていたことは事実だろう。文学の上で新詩社流の虚飾を厭《いと》う心は、同時にまた自分のなかにおける気取りや見栄や独善などの第二義的なものを厭う心にもつながるはずである。

だが彼は、上京後は小説を書いて、自然主義が支配的であった文壇に登場することを念願としていた。「雲は天才である」その他の小説を、彼は明治三十九年に書いていたが、上京後もひたすら小説に打込み、すべて当時のジャーナリズムの拒否するところとなった。四十一年にはわずかに「鳥影」が東京毎日新聞によって陽《ひ》の目を見ただけである。その再評価の試みが近来行われているが、概して言えば、彼の小説は彼の独善的な一面が強く出ていて、客観的な評価に堪《た》えないところがある。

当時彼は新体詩人と言われ、歌人と呼ばれることが、つくづく厭わしかった。これはかつて、詩人としての使命感に燃え、肩をそびやかして歩いていたころから見れば、大変な違いようであった。

「郷里《くに》から函館へ、函館から札幌へ、札幌から小樽へ、小樽から釧路へ――私はさういふ風に食を需《もと》めて流れ歩いた。何時しか詩と私とは他人同志のやうになつてゐた。会々《たまく》以前私の書いた詩を読んだといふ人に逢つて昔の話をされると、嘗《かつ》て一緒に放蕩《はうたう》をした友達に昔の女の話をされると同じ種類の不快な感じが起つた。生活の味ひは、それだけ私を変化させた。『――新体詩人です。』と言つて、私を釧路の新聞に伴《つ》れて行つた温厚な老政治家が、或人《あるひと》に私を紹介した。私は其時《そのとき》程烈《はげ》しく、人の好意から侮蔑《ぶべつ》を感じた事はなかつた。」（「食《くら》ふべき詩」）

北海道での生活上の切実な経験の前に、これまで得意になって作っていた詩歌は、嫌悪《けんお》すべき空想文学に過ぎず、象徴詩という輸入物は「一時の借物」であり、もはや彼は、「詩人」とか「天才」とか彼を酔わしめた「揮発性の言葉」には酔えなくなった自分を発見するのである。詩作そのものが、空虚なものと感じられてきた。「眼を瞑《つぶ》つた様な積りで生活といふもの丶中へ深入りして行く気持は、時として恰度《ちやうど》痒い腫物《はれもの》を自分でメスを執つて切開する様な快感を伴ふ事もあつた」（前同）と言う。北海道の荒涼とした生活の中で、古い新詩社風の虚空《こくう》に描き出した詩の世界が急激に崩壊して行くのを見つめる気持は、ちょうど熟《う》れきった膿《うみ》を圧《お》し出すような快感であった。

三年ぶりに上京したとき、彼は詩歌《しいか》を棄てていた。上京の第一日、彼は俥《くるま》で千駄谷《せんだがや》の与謝野夫妻を訪ねている。お馴染《なじみ》の四畳半の書斎は、机も本箱も火鉢《ひばち》も座布団も三年前と変りはないが、まだ三十六歳の鉄幹からは、彼はひどく老いこんだ印象を受け、「愚劣」な自然主義を罵倒《ばとう》してやまぬ彼の言葉から、彼は時代に取残された者の声しか聞き取ることはできなかった。彼は新詩社の歌会にも、鷗外《おうがい》の観潮楼歌会《かんちょうろうかかい》にも出ているが、これまでの作歌習慣の惰性から作っているので、感興が伴わなくても作れば作れるというだけである。だが、棄てたはずの詩歌の方で、彼を棄てなかったのである。

日記に言う。

「六月二十四日

昨夜枕《まくら》についてから歌を作り初めたが、興が刻一刻に熾《さか》んになつて来て、遂々《つひく》徹夜。夜があけて、本妙寺の墓地を散歩して来た。たとへるものもなく心地がすがすがしい。興はまだつづいて、午前十一時頃まで作つたもの、昨夜百二十首の余。

そのうち百許《ばか》り与謝野氏に送つた。」

「六月二十五日

頭がすつかり歌になつてゐる。何を見ても何を聞いても皆歌だ。この日夜の二時までに百四十一首作つた。父母のことを歌ふの歌約四十首、泣きながら。」歌をみずから禁じていただけに、歌心のほとばしりもすさまじいものがあった。鉄幹に送った歌稿は、間もなく「石破集」と題して『明星』七月号に発表された。その中には、

石ひとつ落ちぬる時におもしろし万山《ばんざん》を撼《ゆ》る谷のとどろき
つと来《きた》りつと去る誰《た》そと問ふ間《ま》なし黒き衣《きぬ》着る覆面《ふくめん》の人

など、何か曰《いわ》くありげな在来の『明星』風の象徴歌とともに、これまでの啄木には現れなかった平明率直の詠みぶりの歌があって、次の七首は、『一握の砂』に収められた歌の初出であった。

たはむれに母を背負ひてそのあまり軽《かろ》きに泣きて三歩あゆまず
頰《ほ》につたふ涙のごはず一握《いちあく》の砂を示しし人を忘れず
己が名を仄《ほの》かに呼びて涙せし十四の春にかへる術《すべ》なし
東海《とうかい》の小島《こじま》の磯《いそ》の白砂《しらすな》にわれ泣きぬれて蟹《かに》と戯《たはむ》る

燈影《ほかげ》なき室《しつ》に我あり父と母壁のなかより杖《つゑ》つきて出《い》づ
ふるさとの父の咳《せき》する度《たび》にわれかく咳すると病みて聞く床《とこ》
飄然《へうぜん》と国を出でては飄然と帰りたること既に五度《いつたび》

この最後の二首は、『一握の砂』では改作されている。だがこれらの歌のうち、歌集の題名にまでなった「頰につたふ涙のごはず」の歌の思わせぶりな表現や、歌集冒頭の歌として愛誦《あいしよう》された「東海の小島」の歌の曖昧《あいまい》な表現を見ても、新詩社的な旧染から完全にふっきれていないことは明らかである。「東海の」はとかく議論の多い歌だが、これをひたすら函館大森浜での経験に結びつけてしまうのは問題である。海浜の砂を詠んだ啄木の歌が、北海道、ことに函館のイメージに結びついていることは、おそらく彼は三河丸で上京の途中に寄港した荻《おぎ》の浜以外の土地の砂浜を知らなかったろうから、妥当ではあるが、では「東海の小島」とは何処《どこ》なのか。函館生れの亀井勝一郎氏が、「(函館は）もとはほんたうに小島であつたが、砂の堆積《たいせき》で現在のごとく陸つづきになつたといふ。今では大きな市街になつてゐるので目だたないが、地上から見るとやはり小島の感じが残つてゐる。啄木が東海の小島と歌つたのもこの感じであらう。そして不思議なことに、二十年も離れてこちらから思ひ出すと、幻のやうに浮かび上ってくる故郷のすがたはやはり小島だ。」（『続随筆北海道』、岩城之徳氏の『石川啄木伝』引用による）と言った美しい解釈によって、辛《かろ》うじてあるはずもない「小島」が実在のものとなる。私はこのような愛郷心による解釈を尊重するのだが、大森浜で啄木が具体的に「小島」の印象を持ちえたかどうか疑いを持つ。

これはダブル・イメージなのである。彼が読んで感激し手紙まで出したヨネ・ノグチの詩集『東海より』の「東海」、すなわち日本である。大志を抱きながら、日本という小さな島国にちぢこまっていなければならない歎《なげ》きが、北海流離の悲愁に重なってくる。「東海の小島」とはさいはての国の流離感が生み出したイメージで、具体的には大森浜の砂山ということになる。だが、「蟹」には別に何の寓意《ぐうい》もない。こういう歌は感傷味が勝っていて、啄木の代表作とするには足りない。

三

つづいて『明星』には、八月、十月、十一月（終刊、百号）とつづけて群作を発表した。『明星』終刊後は、『スバル』が発表舞台となった。この雑誌の第二号は啄木が編集し、短歌を六号活字で小さく組んで、たまたま『吾妹子《わぎもこ》』（妻玉野花子の追悼歌）の力作を発表した平野萬里とのあいだに応酬があった。『スバル』を『明星』の延長と見なしている萬里と、『明星』からの脱皮を企てた啄木との意見の衝突であり、啄木には『スバル』を歌人たち「小世界の住人」だけの雑誌にしようというつもりはなかったのである。これは、泉のように歌心が涌《わ》き出るのを圧《おさ》えることができない彼自身への抑制であったとも見られる。小説がうまく行かないもどかしさが、自然に出てくる短歌に対して、いっそういまいましさを感じさせてしまう。そして彼は、「勝手気儘《きまゝ》に短歌という一つの詩形を虐使《ぎやくし》する事」に一種の快感を発見していた。

新詩社や観潮楼の歌会で、他の歌人たちのように、真面目《まじめ》に歌を作ろうという気は起らなかった。何の深い思想もなく、空疎《くうそ》な修辞に憂《う》き身をやつす歌人たちの愚かさが、眼《め》に見えてきた。彼はことさら不真面目な、へなぶりの歌を作る。へなぶりとは、当時坂本久良岐等が試みていた俳諧歌《はいかいか》の一体である。明治四十二年の「懐中手帳」に、四月十一日の与謝野宅歌会の次のような歌を記している。

わがひげの下むくくせが憤《いきどほ》ろしこの頃《ごろ》にくき男ににたれば
いつも逢ふ赤き上衣《うはぎ》を着てあるく男の眼《まなこ》この頃気になる（上衣）
く、と鳴る鳴革入れし靴はけば蛙をふむに似て気味わるし（靴）
我よりも強き女の手とりしが蓋《けだ》し第一のしくじりなりき（第

ためらはずその手とりしに驚きてにげたる女再びかへらず（ためらふ）
君が目は万年筆のしかけにやたえず涙を流してゐ給《たも》ふ（万年筆）

題の出し方もどうかと思うが、作者の悪ふざけには違いない。彼はローマ字日記に書いている。「予は、今日、与謝野さんの宅の歌会へ行かねばならなかつたのだ。無論面白《おもしろ》いことのありやうがない。……予はこのごろ真面目に歌などを作る気になれないから、相変らずへなぶつてやつた。……晶子さんは徹夜をして作らうと言つてゐた。予はいいかげんな用をこしらへてそのまま帰つて来た。……歌の会！　何といふつまらぬことだらう！」

これらの歌は、『スバル』五月号に、「莫復問」の題で出ている。同時にまた、

森の奥より銃声きこゆあはれあはれ自《みづか》ら死ぬることのよろしさ
いたく錆《さ》びしピストル出でぬ砂山《すなやま》の砂を指もて掘りてありしに
尋常の戯《おど》けならむやナイフ持ち死ぬ真似《まね》をするその顔その顔
「さばかりの事に死ぬるや」「さばかりの事に生くるや」止《よ》せ止せ問答
死にしかとこの頃聞きぬ恋がたき才《さい》ありあまる男なりしが

よく笑ふ若き男の死にたらば少しこの世の淋《さび》しくなれかし
こそこその話声《はなし》がやがて高くなりピストル鳴りて人生終る

などの歌が出ている。これらもまたへなぶった歌だが、そのころ彼は死を思うことが多く、なかば芝居気もあったが、金田一氏をはらはらさせるには十分だった。浅草塔《とう》下苑《かえん》の女たちのもとへ、少しでも金を握ると行かないではいられなかった当時は、やはり彼にとって本当の危機だったのである。ローマ字日記の「無題」の詩にも、ふざけと本音と入りまじった悲鳴の中に、死の誘惑がちらついている。するとこれらの歌に出てくる「死」は、冗談だったのか本気だったのか。冗談でもあり、同時に本気でもあったろう。ふざけたへなぶりの歌の中から、まことの感情がちらちらとのぞかれる。芝居気たっぷりの中から真実の表情が浮んでくる。そしてここに僅《わず》かにのぞいて見える真実は、これまでの啄木の新詩社風、象徴風の短歌には、見ることのできなかったもので、ふざけのめした果てに、彼が摑《つか》み出した人生の真実であり、それが本当の詩の鉱脈なのだった。へなぶり調が彼の短歌から新詩社の旧染を洗い落してくれたのだ。そして、「ふと、今迄《いままで》笑つてゐたやうな事柄《ことがら》が、すべて、急に、笑ふ事が出来なくなつたやうな心持になつた。」（「食ふべき詩」）

「食ふべき詩」とは、「謂《い》ふ心は、両足を地面《ちべた》に喰《く》つ付けてゐて歌ふ詩といふ事である。実人生と何等《なんら》の間隔なき心持を以《もつ》て歌ふ詩といふ事である。珍味乃至《ないし》は御馳走《ごちそう》ではなく、我々の日常の食事の香の物の如《ごと》く、然《しか》く我々に『必要』な詩といふ事である。」「すべて詩の為《ため》に詩を書く種類の詩人は極力排斥すべきである。無論詩を書くといふ事は何人にあつても『天職』であるべき理由がない。『我は詩人なり』といふ不必要な自覚が、如何《いか》に従来の詩を堕落せしめたか。」「詩は所謂《いはゆる》詩であつては可《い》けない。人間の感情生活の変化の厳密なる報告、正直なる日記でなければならぬ。従つて断片的でなければならぬ。」「も一つ言ひ残した事がある。それは、我々の要求する詩は、現在の日本に生活し、現在の日本語を用ひ、現在の日本を了解してゐるところの日本人に依《よつ》て歌はれた詩でなければならぬといふことである。」(前同)

ここで彼は、詩について肝要なことは、すべて言い尽くしている。この評論を書いた明治四十二年十一月の時点で、彼はすでに危機を乗越えており、そのことが彼をしてこのような自信にあふれた断言をなさしめたのだと思われる。彼は自分の、自負に充《み》ちた詩人としての天職意識を葬り去ればよかった。その天職意識が俗衆を脚下に見《み》据《す》えたさまざまの高踏的な詩の試みを、彼にさせたのだった。詩が単に詩であることだけを目標にした、古い因襲的な考えに汚染されていた、自分を含めてのあらゆる詩人仲間が、批判の対象になる。鉄幹はもとより、姉のような気持を抱いた晶子も、吉井勇、平野萬里、木下杢太《もくた》郎《ろう》、北原白秋などのライヴァルたちも、結局最後には彼の関心を離れて行く。そして彼が安心して身を寄せる一つの立場が「食ふべき詩」ということなのである。これは後に、中野重治氏が「すべての風情を擯斥《ひんせき》せよ　もっぱら正直のところを　腹の足しになるところを　胸先を突き上げて来るぎりぎりのところを歌へ」（歌）と言ったところに、一脈つながるのである。

　そのような考えに到達し、そのような詩を作ろうという意識に眼覚めさせたきっかけの一つを、彼のへなぶり歌だと考えれば、それをただの悪ふざけとして黙殺するわけにはいかない。へなぶりとは、彼にとって新詩社風へのパロディであり、もっと広く言って、過去の詩歌の因襲への批判であり、挑戦《ちょうせん》であった。同時にそれは、過去の自分の思い上った高踏的詩風への自己批判であり、訣別《けつべつ》であった。

四

　では、「食ふべき詩」として、三十一文字の短小詩型は、どのような意味を持ちうるのか。四十一年の歌稿ノートに、彼が「暇ナ時」と名づけたことは前に言った。これは彼が最初にまとめた自家用の歌集と見ていいが、四十三年四月には、いよいよ歌集刊行のつもりで歌稿を整理し、「仕事の後」と名づけた。総歌数二百五十五首。「文学なんかやめるつてのは賛成だね。僕《ぼく》の思想も変つて来てゐる。実際賛成するよ――。今度出す（出し得れば）歌集の名も『仕事の後』といふ名をつけるつもりだ。仕事の後！　それで可いぢやないか。つまり有つても無くても可いというわけだ。さうして一切の文学の価値と意義とは其処《そのところ》にあると僕は思ふ。」（四月十二日付、宮崎郁雨宛《あて》書簡）

この名はいよいよ刊行されるときには、『一握の砂』と改められた。「暇ナ時」「仕事の後」「一握の砂」「悲しき玩具」と、彼の歌集の名には、一貫して短歌を不用のもてあそびものとする考えがある。最後の題名は、土岐哀果が、啄木の「歌は私の悲しい玩具である。」（「歌のいろ〳〵」）という一文から取ったものである。「私自身が現在に於《お》て意のまゝに改め得るもの、改め得べきものは、僅にこの机の上の置時計や硯箱《すゞりばこ》やインキ壺《つぼ》の位置とそれから歌ぐらゐのものである。さうして其他の真に私に不便を感じさせ苦痛を感じさせるいろ〳〵の事に対しては、一指をも加へることが出来ないではないか。」（同）つまり歌は、「現在の家族制度、階級制度、資本制度、知識売買制度」（同）など、天下国家のことにまったくかかわらぬのである。それらが素材として詠みこまれていたにしても、それは偶然のことにすぎない。歌を作る意義は、その裏がわにある。人間の生活には、誰《だれ》しも晴《はれ》（表むき）と褻《け》（ふだん）、公と私とがある。

彼は真の詩人を、「自己を改善し自己の哲学を実行せんとするに政治家の如き勇気を有し、自己の生活を統一するに実業家の如き熱心を有し、さうして常に科学者の如き明敏なる判断と野蛮人の如き率直なる態度を以て、自己の心に起り来る時々刻々の変化を、飾らず偽らず、極めて平気に正直に記載し報告するところの人でなければならぬ」（「食ふべき詩」）とした。その帰結として、詩は「人間の感情生活の変化の厳密なる報告、正直なる日記」となり、従ってそれは「断片的」でなければならぬという。その「時々刻々の変化」を愛することが、彼によれば「我を愛する」ということである。場合によっては進んで「我を犠牲にする」必要にも逢着《ほうちゃく》しなければならぬ公生活に対して、それは私生活の拠《よ》るところとなる。「暇ナ時」「仕事の後」とは、そのような生活時間の謂《いい》である。

「人は歌の形は小さくて不便だといふが、おれは小さいから却《かへ》つて便利だと思つてゐる。さうぢやないか。人は誰でも、その時が過ぎてしまへば間もなく忘れるやうな、乃至は長く忘れずにゐるにしても、それを思ひ出すには余り接穂《つぎほ》がなくてとうとう一生思ひ出さずにしまふといふやうな、内から外からの数限りなき感じを、後《あと》から後からと常に経験してゐる。多くの人はそれを軽蔑してゐる。軽蔑しないまでも殆《ほとん》ど無関心にエスケープしてゐる。しかしいのちを軽蔑する者はそれを軽蔑することが出来ない。…………

さうさ。一生に二度とは帰って来ないいのちの一秒だ。おれはその一秒がいとしい。たゞ逃がしてやりたくない。それを現すには、形が小さくて、手間暇のいらない歌が一番便利なのだ。実際便利だからね。歌といふ詩形を持ってるといふことは、我我日本人の少ししか持たない幸福のうちの一つだよ。(間)おれはいのちを愛するから歌を作る。おれ自身が何よりも可愛いから歌を作る。」(「一利己主義者と友人との対話」)

刹那々々における自己存在の確認が自分の歌だという啄木の考え方には、「刹那主義の実行哲理家」と称した岩野泡鳴の思想の影が見えるかも知れない。そう言えばこの二人は、どちらも当時の自然主義思潮からはみ出す思索家であって、下手な小説家であったことも似ている。それはともかく、啄木の歌についての考えは、歌を作るという一点に追いつめられた人間の絶体絶命のうめきに似たものがある。「おれは初めから歌に全生命を託さうと思つたことなんかない。(間)何にだつて全生命を託することが出来るもんか。(間)おれはおれを愛してはゐるが、其のおれ自身だつてあまり信用してはゐない。」(同)なかば棄てばちの響きがある。芸術だって、理想だって、実行（革命）だって、全生命を託するに足りないという虚無的な気持が読み取れる。だが、彼の生命に、存在に、もっとも密着した地点で打込む仕事がありえたとすれば、それは辛うじて歌なのである。そして、それが彼の短歌のかけがえのない価値なのだ。

『一握の砂』の中核は、冒頭の「我を愛する歌」と、最後の「手套を脱ぐ時」とである。もっとも感傷性と演技意識に富み、青年たちの愛唱歌を含んでいるのは「我を愛する歌」だが、刹那のそこはかとない心の動きを意識的に尖鋭《せんえい》に捉えようとしているのは「手套を脱ぐ時」であり、これは続いて『悲しき玩具』の世界に連なっている。それが啄木の最後に企図した歌境と思われ、それこそ「我のいのちを愛する歌」の純粋の境地なのであった。

五

啄木の短歌にその抒情の精髄を認めるとすれば、その長詩の存在はやや霞《かす》んで見えるのである。だが、彼が短歌を次第に生活詠として深めて行ったように、その長詩も後になるほど、啄木の独自性を発揮して来ている。

生前唯一の長詩集『あこがれ』は、詩人啄木というより、絢爛《けんらん》たる修辞家啄木の仕事である。啄木はここで、泣菫《きゆうきん》、有明の亜流として登場しているが、日本の詩の歴史から見れば、泣菫、有明の詩の仕事がすでに袋小路だったのであって、そのあとをまっしぐらに駆け出した少年啄木は、たちまちそのような詩作の空《むな》しさを、鋭く感じ取ってしまう。『あこがれ』の刊行後、たちまち陥った一家の貧窮、北海流浪の辛酸、自然主義思想の刺激が、彼を泣菫、有明流の象徴詩から立ち去らせる。「揮発性」の修辞に綾《あや》どられた詩から「食ふべき詩」へ、彼の長詩も徐々に転換を遂げる。

その後の彼の詩風の展開のうち、私は「泣くよりも」「心の姿の研究」「呼子と口笛」の三部に注目したい。

「泣くよりも」八篇《ぺん》は、四十一年五月二十四日、菊坂時代に、一日で作ったもの。その前夜、彼はふと浮んだ詩の断片を二つ三つ書きつけて寝た。起きると函館の宮崎郁雨から至急便が来ていて、長女の京子が昏睡《こんすい》して重態だとの報《しら》せであった。昨夜書いた断片のうちに、「幼児の墓に二十年振で父が帰つて来て、お前は死んでよい事をしたと云《い》ふ意味の詩がある。予の頭は氷を浴びせられた！」「小説を書く日ではない！」と思い、午後三時ごろまでに八篇の詩を作った。六月二十四、五日の短歌と同じく、興に乗れば彼には幾篇でも詩ができた。娘の快癒《かいゆ》を祈るような思いで念じている日に、今日は「小説を書く日ではない」と思い、書きかけの小説「病院の窓」の執筆を休んで、詩を書いたという心の動きは面白い。

この八篇はこの心を厳粛に保った日の作品にふさわしく、調べも引き締っている。文語体の七五調、または五七調であるが、そのころよく試みられた七五（または五七）の行跨《ぎょうまたが》り、例えば、

『ましろき窓のその下を過ぎし事あり。
ゆくりなく』かくいひ出でぬ、客人《まろうど》は。（窓）

のごときは、七五調を崩して読むことを私は好む。八篇の詩の大部分は、対話を含んでいるが、最後の一行に読者の期待を超えて、あっと驚くような一句を設け出したところ、きわめてウィットに富んでいる。このウィットが啄木の詩に現れ出した翌月に、『一握の砂』に収められた短歌が初めて作られ出した事実に、私は注目する。

「心の姿の研究」は、明治四十二年十二月中旬、東京毎日新聞に発表した五篇と、翌年一月同紙に発表した一篇とを含む。この時期は、短歌では『一握の砂』の中核の部分を作り出す前夜であり、彼は評論「食ふべき詩」をすでに発表し、今後作るべき詩

歌については、すでに確たる信念に到達していた。「揮発性」の言葉にはすでに酔えなくなり、「現在の日本に生活し、現在の日本語を用ひ、現在の日本を了解してゐるところの日本人に依て歌はれた詩」(「食ふべき詩」) を彼は実践する。口語自由詩の試みであり、写実的な街頭の所見にある危機感を表現しようとしている。「事ありげな春の夕暮」「騎馬の巡査」などが、注目すべき作品であろう。

だが啄木の長詩の圧巻は、「呼子と口笛」である。明治四十四年六月十五日から十七日までのあいだに、「はてしなき議論の後」と題する九篇の詩が完成し、そのうち六篇(一、八、九を除く)を『創作』に発表し、最後に総題を「呼子と口笛」とし、後に作った「家」「飛行機」をも加えて、すべて八篇にそれぞれ題をつけて詩稿ノート(土岐善麿氏所蔵)に書きつけたものが、その死後『啄木遺稿』に収められた。最初の詩稿は啄木の死後、姪《めい》の手から川並秀雄氏の手に渡り、その原型は岩城之徳氏の『石川啄木』に収められ、その異同を知ることができる。

この詩は幸徳事件の後、急速度に無政府主義に関心と共感とを深めて行った彼の思想を示している。文語体ながら自由な、格調の高い、雄弁な達意の詩体である。

〝V NAROD!〟(人民の中へ) とは、十九世紀末に帝政ロシアで、農本主義的急進思想を信奉したインテリゲンチャ、ことに学生の集団、ナロードニキの合言葉である。

「'V NAROD!'と叫び出づるものなし」のリフレーンは、啄木自身をも含めて、観照のみあって実行の伴わぬ、閉塞《へいそく》した時代の日本の知識人たち全般に対する焦燥を示していよう。それは、病苦と貧苦とにさいなまれ、短命を予知した彼の心の中に、激しく燃え上ったのであった。

彼は管野すが子等のテロリズムが、結局は無力であり、彼の理解する無政府主義思想の真髄からは、いたく背馳《はいち》していることを知っている。だが彼自身追いつめられた者の一人として、「テロリストのかなしき心」には、強い共感を禁じえないのである。彼、または多くの日本の青年たちが、言葉と行為とを分裂させて生きているのに対して、彼等は「言葉とおこなひとを分ちがたき　ただひとつの心」「奪はれたる言葉のかはりに　おこなひをもて語らんとする心」を持っている。冷めたココアのひと匙《さじ》のうすにがい舌触《したざわ》り——それはまた「テロリストのかなしき心」の感触でもあり、作者自身の「かなしき心」の味わいでもあった。

私はこれが、数え年二十七歳で死んだ啄木の、最後の思想だったと言うつもりはない。彼の思想自体が、まだ激しく揺れ動いており、彼の書いたもの自身の中にいろいろ矛盾を見出だすことができる。

結局彼は、最終的には詩人であった。そして詩人以外の何者でもなかった。もちろん彼の嫌悪した「いはゆる詩人」、新詩社流の空想詩人ではない。詩人＝批評家としてはっきりした現実批判と認識とを持ち、詩人＝教育者として啓蒙《けいもう》的な一つの使命感に生き、詩人＝愛国者として国の運命に結びつき、詩人＝予言者として国の将来について警告し、詩人＝革命家として現実の変革を思った。このように多角的な性格を持っていたが、彼にとっては、それは本来詩人《デイヒター》が具備すべき要件であったはずである。そしてそれが「詩は所謂詩であつては可《い》けない」（「食ふべき詩」）と言った言葉の真意である。

「詩人は先第《まず》一に『人』でなければならぬ」（同）と、彼は言った。同時に彼は、詩を作ったからばかりでなく、その活動の全体において、すなわち「人」として、詩人であることを証している。だから詩人啄木を考える場合に、その詩作品ばかりでなく、小説、評論、随筆、日記、書簡などの全著作を必要とする。だが、その中核を挙げるとすれば、やはりあの三行書きの短歌である。それは決して彼の「全生命を託した」仕事ではない。だがそれは彼の仕事の頂点に位し、彼の生命のもっとも輝かしい発現である。長詩は短歌に較《くら》べれば彼の生命のより不完全な発露でしかない。彼の短歌の魅力に、半世紀にわたって憑《つ》かれつづけた大衆の判断は、過《あやま》ってはいない。

それは啄木にとって、あるいは本意ではなかったかも知れない。だが、自分に禁じようとしてついに禁じえなかったものの中に、自分のもっとも底からの欲求は籠《こも》るのである。虐使すればするほど、彼のなかで短歌は生きた。その不思議さが、結局は彼の短歌の生き生きと何時《いつ》までも新鮮な魅力を作り出しているのであろう。

（昭和四十一年十一月二十二日）

〈新潮社刊『日本詩人全集8』より再録〉

年　譜

明治十九年（一八八六）一歳　二月二十日（一説には前年十月二十七日）、岩手県南岩手郡日戸《ひのと》村曹洞宗《そうとうしゅう》常光寺に生まれる。父一禎《いってい》（37）は同寺住職。母カツ（40）は一禎の師僧葛原対月《かつらはらたいげつ》の妹。対月は歌の道に秀《ひい》で、父もその影響で和歌をたしなむ。当時禅僧の妻帯が公認されておらず、啄木は、二人の姉とともに母の籍に入れられ、「戸主工藤カツ長男私生一《はじめ》」として届けられる。唯一《ゆいいつ》の男子で病弱であったため両親の寵愛《ちょうあい》を一身に受ける。

明治二十年（一八八七）二歳　父が宝徳寺住職に任ぜられ、三月、北岩手郡渋民《しぶたみ》村に一家転住。

明治二十四年（一八九一）六歳　五月、学齢より一年早く渋民尋常小学校へ入学。ひ弱ではあったが徐々に成績を上げ、村人から神童と騒がれる。

明治二十五年（一八九二）七歳　九月、母が石川家に入籍。戸籍上「石川一禎養子一」となる。

明治二十八年（一八九五）十歳　三月、渋民尋常小学校を首席で卒業。盛岡市立盛岡尋常高等小学校入学。当時郡部より盛岡の上級学校に進む者は稀《まれ》だった。校長は新渡戸《にとべ》仙岳《せんがく》、後の「岩手日報」主筆。仙北組町の母方の伯父の許《もと》から伯父の援助を受けて通学。

明治三十年（一八九七）十二歳　中学受験のため菊池道太の経営する学術講習会（後の江南義塾）に通う。

明治三十一年（一八九八）十三歳　三月、盛岡尋常高等小学校卒業。三年を通して「学業善・行状善・認定善」の好成績。四月、岩手県盛岡尋常中学校（後の岩手県立盛岡中学校）の入学試験に十番で合格、入学。額が並はずれて広く高く、負けず嫌《ぎら》いだが明るく純真で、上級生に可愛《かわい》がられる。

明治三十二年（一八九九）十四歳　盛岡中学の伝統的な立志の気風の影響で海軍士官に憧《あこが》れ、上級生及川古志郎（後の海軍大臣）と出会う。及川の愛読する与謝野鉄幹の詩集によって文学に目覚め、すでに鉄幹主幹の新詩社の社友であった上級生金田一京助を知る。先輩の回覧雑誌等にも参加し、文学に熱中。この年市内帷子小路《かたびらこうじ》の長姉夫妻の家に寄寓、近くに住む盛岡女学校生徒堀合《ほりあい》節子と相知る。彼女との恋愛が文芸熱を一層高めた。

明治三十三年（一九〇〇）十五歳　五月、クラスで回覧雑誌「丁二雑誌」発行。鉄幹の歌集『東西南北』『天地玄黄』、新詩社の雑誌『明星』を愛読して、鉄幹・晶子に心酔、新詩社社友となる。教室から抜け出して不来方《こずかた》のお城で寝ころんだのはこの頃《ころ》。

明治三十四年（一九〇一）十六歳　二月、生徒による校内刷新のストライキに積極的に参加。生徒側の要求が通り、教員が大異動。五月、級友と「ユニオン会」を結成し英語を自習。九月、友人と回覧雑誌「爾伎多麻《にぎたま》」発行。十二月から翌年にかけて「白羊会（友人と結成した短歌会）詠草」二十五首を翠江《すいこう》の名で「岩手日報」に掲ぐ（活字となった最初の作品）。

明治三十五年（一九〇二）十七歳　一月、ユニオン会の仲間と「岩手日報」の八甲田山雪中行軍遭難事件を報じた号外を売り、その利益を足尾銅山の災害民に送る。五年に進級。四年の学年末に続き一学期末の試験で友人と共謀してカンニング、二度めの譴責《けんせき》処分を受ける。七月、保証人の義兄が召喚され、九月、この処分が全校に掲示、十月二十七日、「家事上の都合（度重なる不始末に檀《だん》家《か》からの学費援助が中止されたのも一因らしい）」を理由に退学願を提出、即日承認される。同月、『明星』に初めて「血に染めし歌をわが世のなごりにてさすらひここに野にさけぶ秋」が掲載される。同三十一日、文学で身を立てるべく上京（函《はこ》館《だて》図書館蔵の日記はこの時から始まり、四十五年二月二十日まで続く）、盛岡中学の先輩の好意で小石川区小日向《こびなた》台の大館方に止宿。十一月十日、渋谷の新詩社に与謝野鉄幹・晶子を訪問、以後知遇を得る。中学の後輩に就職口を紹介されるがうまくいかず（文芸雑誌の編集員を希望）、東京の中学への編入もかなわず、大橋図書館に通って文学書を耽読《たんどく》したりした。失意の中、年末年始を神《かん》田錦町《だにしきちょう》の後輩の部屋で過ごす。

明治三十六年（一九〇三）十八歳　『明星』に作品は載るが収入なく、加えて健康を害し、二月、父に伴われ帰郷。禅房で静養するかたわら再起を期してワーグナーの研究に没頭、五月、「ワグネルの思想」を「岩手日報」に連載するが反響なし。秋にはアメリカの詩集『Surf and Wave : the Sea as Song by the Poet』に深く感銘、詩稿ノート「EBB AND FLOW」を作り、詩に心が開かれる。この頃蒲原有明《かんばらありあけ》を愛誦《あいしょう》。十一月、新詩社の同人となる。十二月、『明星』にはじめて「啄木」の名で発表した五篇の長詩「愁調」は、新詩社内外の注目を集める。この頃節子より贈られた在米詩人野口米次郎の英文詩集「東海より」に感激、二人で渡米を夢見る。

明治三十七年（一九〇四）十九歳　二月、堀合節子と婚約。健康を回復し、明星派の新進詩人として『明星』『帝国文学』『時代思潮』『太陽』『白百合』「岩手日報」等に作品を発表。十月、処女詩集刊行のため上京、十一月、牛込区砂土原町の井田方に下宿、詩集出版に奔走。この頃多くの友人に金銭上の迷惑をかけ、信用を失う。

明治三十八年（一九〇五）二十歳　一月、宗費滞納のかどで父が住職を罷免《ひめん》され、経済的基盤を失う。五月三日、小田島兄弟の好意で小田島書房より処女詩集『あこがれ』（無印税）刊行。初版再版合わせて一千部、序詩上田敏、跋文《ばつぶん》与謝野鉄幹。一部からの天才詩人の評判に気をよくするが、残部多く悄然《しょうぜん》と帰郷。途中寄り道をしてユニオン会主催の結婚披露宴に欠席、非難を浴びる。六月四日、新妻節子、両親、妹と盛岡市内帷子小路に新居を構える。同二十五日、加賀野磧《かわら》町に転居。九月五日、生活の道を開き、併せて自己の文学理念を実現するため、文芸雑誌「小天地」創刊。岩野泡鳴《ほうめい》、正宗白鳥、小山内薫ら地方誌としては豪華執筆陣を揃《そろ》えるが、一号にて廃刊。なお妻の作品も掲載され好評。

明治三十九年（一九〇六）二十一歳　三月、母、妻と共に渋民に帰り斎藤方に間借生活。同二十三日、父が曹洞宗宗務局より特赦され、宝徳寺再住を要請。このため檀徒間に父と代務住職を推す両派が生じ対立して紛争。四月、母校渋民尋常高等小学校代用教員となり（月給八円）、「日本一の代用教員ならむ」と張り切る。徴兵検査を受けるが、筋骨薄弱のため徴集免除。六月、農繁休暇に父の宝徳寺復帰運動のため上京、新詩社に滞在。『破戒』に強い刺激をうけ、帰郷後小説家をめざして「雲は天才である」「面影《おもかげ》」を書く。十一月、『明星』に自伝小説「葬列」を発表。十二月二十九日、長女京子誕生。生活ますます窮乏。

明治四十年（一九〇七）二十二歳　三月、紛争の長期化と一家の窮状を憂《うれ》え、宝徳寺再住を断念して父家出、常光寺を頼る。父の心根を想《おも》い、村の仕打ちに憤《いきどお》り、離村を決意、北海道で新生活を開くべく函館の苜蓿社《ぼくしゆく》の友人に連絡。四月一日、辞表提出。同十九日、退職前の親心から、平素彼を信頼する生徒たちに校長排斥のストライキを指示、即興の革命歌を歌わせる。このため村内騒擾《そうじょう》。同二十二日免職となる。五月四日、妹一人と石をもて追われるごとく出発。苜蓿社同人たちの好意で雑誌「紅苜蓿《べにまごやし》」の編集に携わる。同人の中に、生《しよう》涯《がい》の友人宮崎大四郎（郁雨《いくう》）がいた。『あこがれ』の天才詩人として尊敬され、得意の時代。六月より函館区立弥生《やよい》尋常小学校代用教員（月給十二円）。七月、青柳《あおやぎ》町に新居を構え、家族を迎える。八月十八日、函館日日新聞社遊軍記者となり、かつてない安定した楽しい生活が訪れるが、同二十五日の大火のため苜蓿社も学校も新聞社も焼けてしまう。九月、友人の世話で北門新報社に校正係の職を得、単身秋深き札幌《さつぽろ》に入るが、わずか二週間で小樽日報社の創業に参加、「小樽日報」記者となり、野口英吉（雨情）らと活躍。十一月、家族と花園町の借家に移る。十二月、事務長と衝突し退社。年末年始の一家の生活困窮を極める。

明治四十一年（一九〇八）二十三歳　一月、社会主義演説会を聴き大いに共感。同十三日、釧路《くしろ》新聞社社長白石義郎の好意で編集長格の待遇で三面主任の職を得（月給二十五円）、降りしきる雪の中単身赴任。社長の知遇に感激して活動し、その成果は競争紙「北東日報」を圧倒した（例えば「釧路詞壇」欄を設け、短歌長詩掲載、二月九日からは「紅筆便《べにふでたよ》り」という花柳界の艶種《つやだね》記事を好評連載)。同二十六日、愛国婦人会の新年会で「新時代の婦人」と題して講演。しかし軌道に乗ると、学歴の壁を思い嘆息の念強く、また中央文壇で自然主義運動盛んなるを知れば心中穏やかならず、生まれて初めて酒に親しみ、芸者小奴《こやっこ》を知る。四月、文学的運命を極限まで試さんとついに上京を決意、函館の宮崎に家族を託し、海路上京。五月四日より本郷《ほんごう》菊坂町の赤心館《せきしんかん》に金田一京助と同宿、宿願の創作生活に入る。上京後一カ月余に「菊池君」「病院の窓」「母」「天鵞絨《ビロード》」「二筋の血」の五つの小説三百枚を脱稿するが、売込みに失敗、苦境に立つ。この頃焦燥の中で短歌の創作意欲が蘇《よみがえ》り、興に乗って一夜に百首以上も詠《よ》むこともあった。作品は『明星』に掲載され注目されるが、短歌は「遊戯気分の多いもの」として虐待《ぎゃくたい》し、悲観的で死を想うことも多かった。またこの頃森鷗《おう》外《がい》の知遇を得て観潮楼歌会《かんちょうろうかかい》に出席。九月、窮状を金田一に救われ、二人で本郷区森川町の蓋平館《がいへいかん》別荘に移る。十一月、小説「鳥影《ちょうえい》」を「東京毎日新聞」に連載開始(六十回)。同月、『明星』第百号をもって終刊。この頃新詩社若手の、吉井勇、木下杢太郎《もくたろう》、上田敏、北原白秋らと新雑誌発行を協議。

明治四十二年(一九〇九)二十四歳 一月一日、『スバル』創刊。啄木は発行名義人。創刊号に小説「赤痢」、二号に自伝小説「足跡」を発表。しかし第二号の編集に関して平野萬里と対立、『スバル』から離れる。二月、盛岡出身の東京朝日新聞社編集長佐藤北江《ほっこう》(真一)の好意で、同社に校正係として入社決定(月給二十五円)。『二葉亭四《し》迷《めい》全集』、夏目漱石《そうせき》の『それから』『門』などを担当。四月三日より「ローマ字日記」を始める。この頃半独身者のデカダンスに沈み、浅草の私娼《ししょう》街に出入りしたりもする。五月、喀血《かっけつ》。六月、待ちくたびれた家族が上京、本郷区弓町二丁目の喜之《きの》床《とこ》の二階二間に間借生活。十月、義母との確執、経済的困窮、自分の病気などに耐えかね、妻が長女を連れて家出。同二十六日、金田一と恩師新渡戸仙岳の尽力で妻子は盛岡の実家よりもどるが、この事件の精神的な打撃で、文学上の一転機をなす。同日、宮崎郁雨、妻の妹フキと結婚。十一月、「東京毎日新聞」に評論「食《くら》ふべき詩」を七回連載。十二月、父上京。

明治四十三年（一九一〇）二十五歳　二月、「東京毎日新聞」に評論「性急《せつかち》な思想」を連載。この頃自然主義批判の気持さらに高まり、新しい個人主義を標榜《ひようぼう》したり、自分は労働者であるとの実感から社会主義的思考を持ったりと、思想的に大きく動揺。四月、一昨年六月以来の短歌を編集、「仕事の後」と題し春陽堂に売ろうとして成らず。五月、評論「我が最近の興味」、小説「我等の一団と彼」を執筆。六月五日、幸徳秋水ら無政府主義者の「大逆事件」に衝撃を受け、以後社会主義思想に傾倒する。同月、評論「硝子《ガラス》窓」発表。七月、入院中の夏目漱石を見舞い、『二葉亭全集』の編集に関し『ツルゲーネフ全集』第五巻を借用する。八月、評論「時代閉塞《へいそく》の現状」を起草。九月十五日、「朝日新聞」紙上に「朝日歌壇」が創設され選者となる。十月四日、長男真一誕生、東雲堂書店と歌集出版を契約（稿料二十円）。同月二十七日長男死去。十一月、歌論「一利己主義者と友人との対話」発表。十二月一日、処女歌集『一握の砂』刊行（「仕事の後」の増補改訂版）。一首三行書きの「生活」を歌う独特の歌風は歌壇内外から注目され、第一線歌人の地位を確立。同月「朝日新聞」に歌論「歌のいろ〳〵」を発表、「歌は私の悲しい玩具である」と結ぶ。

明治四十四年（一九一一）二十六歳　一月三日、『スバル』同人の平出修弁護士を訪ね、幸徳が獄中より担当弁護人に送った陳弁書を借りて筆写。同十日、クロポトキン著「青年に訴う」を読み感動。同十三日、読売新聞の記者土岐哀果（善麿《ぜんまろ》）と新雑誌「樹木と果実」の創刊を協議、青年に対する新思想の啓蒙《けいもう》をめざす。同二十四日、大逆事件の結末に深く絶望、「日本無政府主義者隠謀事件経過及び附帯現象」を記念としてまとめる（五月には「ヴ・ナロード・シリーズ」を執筆、事件の真相を世に伝えようとする）。二月三日、若山牧水と出会う。同四日、慢性腹膜炎のため東京帝国大学付属病院青山内科に入院治療。三月、退院。四月、印刷所の倒産のため雑誌発行を断念。この頃病状肺結核に移行し漸次衰弱。六月、妻と実家への帰省をめぐってもめ、堀合家と義絶。この頃「はてしなき議論の後」等数篇の長詩を作り、これを基に第二詩集「呼子と口笛」の詩稿ノートを作る。七月、高熱を発し病床に呻吟《しんぎん》、妻の容態も険悪。八月、宮崎の援助で小石川区久堅町《ひさかた》へ転居。母カツ病臥《びょうが》。九月、一家の悲惨を見かね父再び家出。同月、宮崎が妻に出した手紙が原因で、親友であり義弟の郁雨と義絶。

明治四十五年（一九一二）二十七歳　三月七日、母カツ肺結核で死去。四月九日、土岐哀果の尽力で東雲堂書店と第二歌集の出版契約（前渡し稿料二十円）。同十三日、早朝危篤《きとく》に陥り、午前九時三十分、父、妻、若山牧水に看《み》とられ永眠。病名は肺結核。同十五日、浅草松清町の等光寺で葬儀（翌年三月二十三日、妻の意志で遺骨を函館に移し、立待岬《たちまちみさき》に葬る。現在の啄木一族の墓は大正十五年宮崎郁雨が建てた）。六月十四日、房州北条町で次女房江誕生。同月二十日、第二歌集『悲しき玩具《がんぐ》』を東雲堂書店より刊行。八月二十九日から九月二十七日にかけて「読売新聞」に小説「我等の一団と彼」連載。九月、妻、二人の遺児と函館へわたるが、翌大正二年五月五日、肺結核のため永眠（二十八歳）。

編集部編

本書は『石川啄木全集　第一巻』（筑摩書房刊）を底本とした。

与謝野晶子著
鑑賞／評伝 松平盟子
みだれ髪
一九〇一年八月発刊。この時晶子22歳。まさに20世紀を拓いた歌集の全399首を、清新な「訳と鑑賞」、目配りのきいた評伝と共に贈る。

上田敏訳詩集
海潮音
ヴェルレーヌ、ボードレール、マラルメ……ヨーロッパ近代詩の翻訳紹介に力を尽し、日本詩壇に革命をもたらした上田敏の名訳詩集。

神西清編
北原白秋詩集
官能と愉楽と神経のにがき魔睡へと人々をいざなう異国情緒あふれる「邪宗門」など、豊麗な言葉の魔術師北原白秋の代表作を収める。

島崎藤村著
藤村詩集
「千曲川旅情の歌」「椰子の実」など、日本近代詩の礎を築いた藤村が、青春の抒情と詠嘆を清新で香り高い調べにのせて謳った名作集。

伊藤信吉編
高村光太郎詩集
処女詩集「道程」から愛の詩編「智恵子抄」を経て、晩年の「典型」に至る全詩業から精選された百余編は、壮麗な生と愛の讃歌である。

高村光太郎著
智恵子抄
情熱のほとばしる恋愛時代から、短い結婚生活、夫人の発病、そして永遠の別れ……智恵子夫人との間にかわされた深い愛を謳う詩集。

谷川俊太郎著 夜のミッキー・マウス

詩人はいつも宇宙に恋をしている——彩り豊かな三〇篇を堪能できる、待望の文庫版詩集。文庫のための書下ろし「闇の豊かさ」も収録。

谷川俊太郎著 ひとり暮らし

どうせなら陽気に老いたい——。暮らしのなかでふと思いを馳せる父と母、恋の味わい。詩人のありのままの日常を綴った名エッセイ。

吉田凞生編 中原中也詩集

生と死のあわいを漂いながら、失われて二度とかえらぬものへの想いをうたいつづけた中也。甘美で哀切な詩情が胸をうつ。

河上徹太郎編 萩原朔太郎詩集

孤独と焦燥に悩む青春の心象風景を写し出した第一詩集「月に吠える」をはじめ、孤高の象徴派詩人の代表的詩集から厳選された名編。

天沢退二郎編 新編宮沢賢治詩集

自己の心眼と森羅万象との絶えざる交流と融合とによって構築された独創的な詩の世界。代表詩集『春と修羅』はじめ、各詩集から厳選。

河盛好蔵編 三好達治詩集

青春の日の悲しい憧憬と、深い孤独感をたたえた処女詩集「測量船」をはじめ、澄みきった知性で漂泊の風景を捉えた達治の詩の集大成。

江戸家魚八著
魚へん漢字講座
鮪・鰈・鮎・鯒――魚へんの漢字、どのくらい読めますか？　名前の由来は？　調理法は？　お任せください。これ1冊でさかな通。

大野晋著
日本語の年輪
日本人の暮しの中で言葉の果した役割を探り、言葉にこめられた民族の心情や歴史をたどる。日本語の将来を考える若い人々に必読の書。

金田一春彦著
ことばの歳時記
深い学識とユニークな発想で、四季折々のことばの背後にひろがる日本人の生活と感情、歴史と民俗を広い視野で捉えた異色歳時記。

中西進著
ひらがなでよめばわかる日本語
書くも掻くも〈かく〉、日も火も〈ひ〉。漢字を廃して考えるとことばの根っこが見えてくる。希代の万葉学者が語る日本人の原点。

松本修著
全国アホ・バカ分布考
―はるかなる言葉の旅路―
アホとバカの境界は？　素朴な疑問に端を発し、全国市町村への取材、古辞書類の渉猟を経て方言地図完成までを描くドキュメント。

森本哲郎著
日本語　表と裏
どうも、やっぱり、まあまあ――私たちが使う日本語は、あいまいな表現に満ちている。言葉を通して日本人の物の考え方を追求する。

新潮文庫最新刊

養老孟司・隈研吾 著
日本人はどう死ぬべきか？
人間は、いつか必ず死ぬ——。親しい人や自分の「死」とどのように向き合っていけばよいのか、知の巨人二人が縦横無尽に語り合う。

茂木健一郎 著／恩蔵絢子 訳
生きがい
—世界が驚く日本人の幸せの秘訣—
声高に自己主張せず、調和と持続可能性を重んじ、小さな喜びを慈しむ。日本人が育んできた価値観を、脳科学者が検証した日本人論。

国分拓 著
ノモレ
森で別れた仲間《ノモレ》に会いたい——。アマゾンの密林で百年以上語り継がれた記憶。突如出現したイゾラドはノモレなのか。圧巻の記録。

中川越 著
すごい言い訳！
—漱石の冷や汗、太宰の大ウソ—
浮気を疑われている、生活費が底をついた、原稿が書けない、深酒でやらかした……。追い詰められた文豪たちが記す弁明の書簡集。

J・カンター／M・トゥーイー 著／古屋美登里 訳
その名を暴け
—#MeToo に火をつけたジャーナリストたちの闘い—
ハリウッドの性虐待を告発するため、女性たちは声を上げた。ピュリッツァー賞受賞記事の内幕を記録した調査報道ノンフィクション。

L・ホワイト 著／矢口誠 訳
気狂いピエロ
運命の女にとり憑かれ転落していく一人の男の妄執を描いた傑作犯罪ノワール。あまりに有名なゴダール監督映画の原作、本邦初訳。

一握《いちあく》の砂《すな》・悲《かな》しき玩具《がんぐ》

—石川啄木歌集《いしかわたくぼくかしゅう》—

新潮文庫　い－10－3

昭和二十七年五月十五日 発行
平成二十四年六月十五日 九十五刷改版
令和 四 年四月三十日 百 刷

編者 金《きん》田《だ》一《いち》京《きょう》助《すけ》
発行者 佐藤隆信
発行所 株式会社 新潮社

郵便番号 一六二—八七一一
東京都新宿区矢来町七一
電話 編集部(〇三)三二六六—五四四〇
読者係(〇三)三二六六—五一一一
http://www.shinchosha.co.jp

価格はカバーに表示してあります。

印刷・株式会社三秀舎　製本・加藤製本株式会社
Printed in Japan

ISBN978-4-10-109303-1 C0192